JN170821

辞書・事典のすべてがわかる本

4 辞書・事典の活用術

監修／倉島 節尚　　文／稲葉 茂勝

あすなろ書房

はじめに

古代エジプト文明で、「ヒエログリフ」とよばれる文字がつかわれていたことはよく知られています。現在《げんざい》でも、ピラミッドや宮殿《きゅうでん》に行けば、上の写真のようにいたるところにヒエログリフを見ることができます。

なんと書いてあるの？　どう読むの？　たいていの人は、そう思うでしょう。なかには、「ヒエログリフの辞書《じしょ》があればいいなぁ」と思う人もいるはずです。

1799年、エジプトのロゼッタという場所で、石碑《せきひ》（ロゼッタストーン）が発見されました。それにはヒエログリフとほか2種類《しゅるい》の文字が書かれていました。しかし当時は、なにが書かれているのかまったくわかりませんでした。古代エジプトの王家の財宝《ざいほう》のありかが記されているのかもしれないなどといった思いが、多くの人をその解読《かいどく》に駆《か》りたてました。それから20年以上《いじょう》が経《た》って、フランス人のシャンポリオンがロゼッタストーンの解読《かいどく》に成功《せいこう》しました。

その後、さまざまな研究が積《つ》みかさねられました。今では、右の表のようにヒエログリフの辞書《じしょ》もつくられています。

ヒエログリフ	読み方	意味
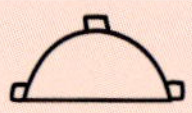	イアト	丘《おか》
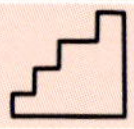	レドゥウ	階段《かいだん》
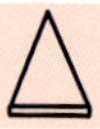	メル	ピラミッド

現在《げんざい》日本には、右下のようにヒエログリフを日本語の五十音にあてはめた表もあります。

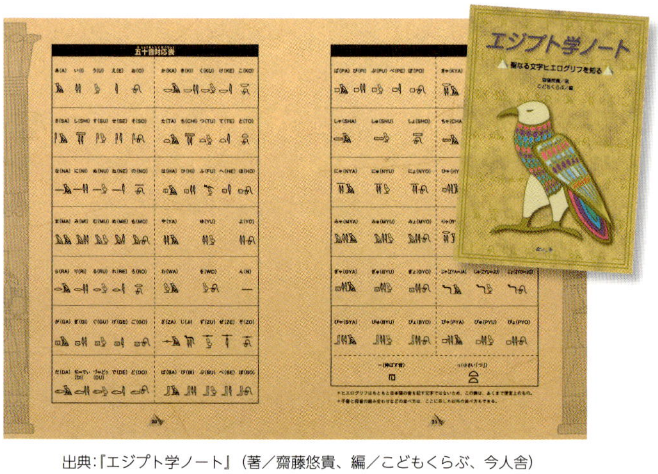

出典:『エジプト学ノート』（著／齋藤悠貴、編／こどもくらぶ、今人舎）

辞書《じしょ》は、人類《じんるい》にとって偉大《いだい》な発明です。辞書《じしょ》があれば、わからない文字の意味や読み方がわかるのです。人類史上《じんるいしじょう》はじめて辞書《じしょ》を発明したのは、「シュメール人」だといわれています。しかし、シュメール人は、あまりにも多くの謎《なぞ》につつまれているため、辞書《じしょ》の発明についても、はっきりしていません（⇒1巻《かん》P17）。

このシリーズ「辞書《じしょ》・事典《じてん》のすべてがわかる本」の「辞書《じしょ》」とは、多数の語を集録《しゅうろく》し、一定の順序《じゅんじょ》に配列して、語の意味や用法《ようほう》などをしめした本です。辞書《じしょ》は、辞典《じてん》や字典《じてん》ともいうことがありますが、これらは明確《めいかく》にわけられているとはいえません。さらに、字書《じしょ》や字引《じびき》といった言葉もあります。また、それらに似《に》た事典《じてん》（ことてん）とよばれるものもあります。これは、いろいろなものごとや、ことがらを集めて説明《せつめい》した本です。

中国人は漢字を発明しました。また、日本人は、漢字を変化《へんか》させ、かなを発明しました。

では、漢字がわからないときにつかう「漢和辞典《じてん》」は、中国人、日本人のどちらが発明したのでしょうか。残念《ざんねん》ながら、それはわかりません。しかし、わからない漢字で、なんと書いてあるのか？　どう読むのか？　中国から漢字が日本に伝《つた》わってきたばかりのころには、そのように思った日本人がいて、「漢和辞典《じてん》」をもとめたことはかんたんに想像《そうぞう》できます。

「漢和辞典《じてん》」には、漢字の読み方と意味が、日本語で書かれています。それは、ヒエログリフの△を、「メル」と読み、「ピラミッドとよばれる、四角錐《しかくすい》の形をした構造物《こうぞうぶつ》である」ことが、書かれているのと同じです。

ところで、漢和辞典《じてん》の「漢」という漢字には、「漢字」のほか、「漢語（中国語）」という意味があります。ということは、漢和辞典《じてん》とは、漢語（中国語）から和語（日本語）にする辞典《じてん》ということなのです。このように「英和辞典《えいわじてん》」は英語《えいご》から日本語へ、「仏和辞典《ふつわじてん》」はフランス語から日本語にする辞典《じてん》を意味します。逆《ぎゃく》に「和英辞典《わえいじてん》」は、日本語から英語《えいご》にする辞典《じてん》です。

一方、「英英辞典《えいえいじてん》」という辞典《じてん》があります。これは、英語《えいご》を英語《えいご》で解説《かいせつ》しているものです。日本では、「日日辞典《じてん》」とはいわず、「国語辞典《じてん》」とよばれる辞書《じしょ》と同じ性質《せいしつ》のものです。これは辞書《じしょ》といって、すぐにイメージできる一般的《いっぱんてき》な辞書《じしょ》です。

三省堂
例解小学
漢字
辞典
第五版
三省堂
『三省堂例解小学漢字辞典第五版』(三省堂)

三省堂
例解小学
国語
辞典
第六版
三省堂
『三省堂例解小学国語辞典第六版』(三省堂)

国語辞典《じてん》は小学校低学年《ていがくねん》からつかわれていますが、今述《の》べたように、辞書《じしょ》が人類《じんるい》にとっての重要《じゅうよう》な発明品であることなど、辞書《じしょ》そのものの重要性《じゅうようせい》について学習することなく、言葉の意味を調べるための道具としてあつかわれていることが多いでしょう。

このシリーズは、だれもが、学びを続《つづ》けていけばいくほど、辞《じ》書《しょ》や事典《じてん》をつかうようになることから、教科書では教えない、辞《じ》書《しょ》そのものについて、さまざまな角度から解説《かいせつ》を試《こころ》みるものです。

こどもくらぶ　稲葉《いなば》　茂勝《しげかつ》

この本で、
辞書《じしょ》について知ることで、
辞書《じしょ》を大切に考え、重視《じゅうし》し、
もっと有効《ゆうこう》につかうようになって
ほしいな！

もくじ

はじめに……2
この本のつかい方……5

パート1 辞書《じしょ》を活用しよう!

1 辞書《じしょ》の特徴《とくちょう》を知る……6
2 小学生向けの国語辞典《じてん》の口絵の工夫《くふう》……8
辞書《じしょ》のつかい方についてのアンケート……10
3 「つかい方」を知る……12
4 国語辞典《じてん》でできること……16
5 国語辞典《じてん》のアクセント記号……18
6 こんなときにはこんな辞書《じしょ》……20
7 見なおそう！　漢和辞典《じてん》……23
文化のかけはし「二言語辞書《じしょ》」……24
8 電子辞書《じしょ》とは？……26
9 電子辞書《じしょ》のつかい方……27

パート2 辞書《じしょ》・事典《じてん》をつかってゲームをしよう!

10 「辞書《じしょ》しりとり」で辞書《じしょ》引き名人になる！……28
11 百科事典《じてん》引きビンゴゲーム……29
12 辞書《じしょ》ゲーム「Fictionary《フィクショナリー》」をやろう！……30
13 国語辞典《じてん》で辞書《じしょ》クイズをやろう！……31

さくいん……32

この本のつかい方

この本では、辞書《じしょ》・事典《じてん》の活用術《じゅつ》を、
ふたつのパートにわけ、項目《こうもく》ごとにさまざまな視点《してん》から解説《かいせつ》しています。

写真や図
それぞれのテーマと関連《かんれん》のある写真や図を掲載《けいさい》しています。

パート1 辞書を活用しよう！

5 国語辞典《こくごじてん》のアクセント記号

国語辞典にアクセント記号がしめされていることは、ほとんど知られていません。教育関係者や、本をつくっている出版関係者のような辞書をよくつかう人にも、知られていないことなのです（⇒P11）。

表記されたアクセントに疑問?

『三省堂例解小学国語辞典 第五版』には、「あめ」「はし」「はじ」が、右のように書いてあります。空からふってくる「あめ（雨）」は「あ」を高く発音し、おかしの「あめ（飴）」は「め」を高く発音します。「箸」は「は」、「橋」と「端」は「し」の部分を高く発音するとしめしてあります。ところが、関西などの人たちは、「雨」は「あ」を高く発音しません。

また、アクセントはつぎにくる言葉にも影響します。「はじ（恥）」は、「じ」を高く発音しますが、「恥をかく」というときの「恥」は、「じ」のつぎの音を低く発音します。そのことは記号「」で記されています。

＊2015年の改訂に際し、『三省堂例解小学国語辞典 第六版』では、アクセント記号を記載することをやめた。

「恥をかく」と「端を描く」では、「を」の高さが違うんだよ。わかるかな？

アクセント辞典

日本語には地方によってアクセントに違いがあります。関東と関西ではアクセントが違うことはよく知られています。現在は東京を中心とした地域のアクセントが「標準アクセント」とされています。そのアクセントを知るためにつくられているのが、「アクセント辞典」です。

関西の人にとっては、この記号は、いやかもしれないね。じつは、『三省堂例解小学国語辞典第六版』で、アクセント記号をやめた背景には、地方のアクセントと合っていないこともあったんだよ。

方言と辞書

関西の人のなかには、東京を中心とした地域のアクセントしかのっていない辞書なんか、「あかん」という人がいるかもしれません。

今でこそ「あかん」が「だめ（駄目）」という意味であることは、テレビなどを通じて全国的にも知られています。しかし、もし「あかん」の意味がわからないときに、国語辞典を引いて、それがのっていないことがわかった場合、こんどは「あかん」を知らない人が、「そんな辞書は、だめだ」ということになるかもしれません。

日本列島は、言葉の観点からみると、とても多様で方言がたくさんありますが、小学生向けの辞書には、方言は、ほとんどのっていません（大人向けの大きな辞書には、のっているものもある）。

まめちしき
広辞苑
1955年に岩波書店から刊行された新村出（1876～1967年）編の国語辞典。見出し語には、古語・現代語・専門用語・固有名詞・ことわざなど24万語をのせている（第六版2008年刊）。
見出し語の仮名は、独自の表音仮名づかいだったが、第四版（1991年刊）で現代仮名づかいが採用された。また、活用語は文語形の見出しのほうで解説されていたが、現代語を引くのには不便なので、第三版（1983年刊）から口語形の見出しのほうで解説するように改められている。
意味の分析が詳しくなり、意味がたくさんある語では、まず大きく意味をわけて、そのなかをさらにいくつかにわけて説明してある。
用例は古典からの出典つきが中心で、現代語の用例はごく普通のつかい方の例が添えられている。人名・地名・書名なども多く、国語辞典と百科事典を1冊にした辞書である。

まめちしき
本文をよりよく理解《りかい》するための情報《じょうほう》を紹介《しょうかい》しています。

コラム
よりくわしい内《ない》容《よう》や、関連《かんれん》するテーマを紹介《しょうかい》しています。

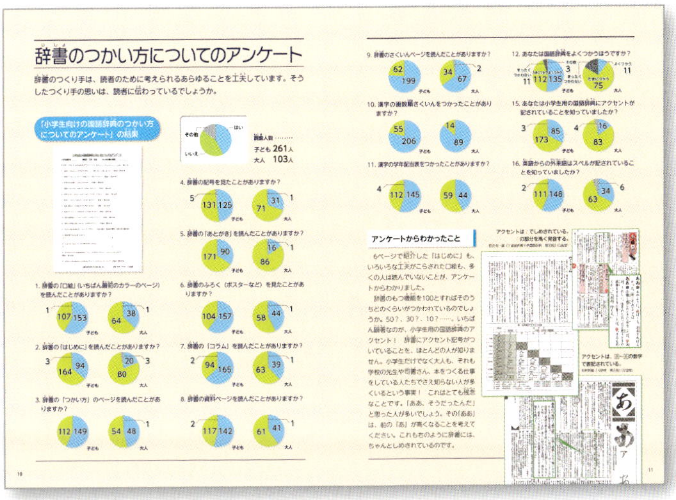
辞書のつかい方についてのアンケート

辞書のつくり手は、読者のために考えられるあらゆることを工夫しています。そうしたつくり手の思いは、読者に伝わっているでしょうか。

「小学生向けの国語辞典のつかい方についてのアンケート」の結果

アンケートからわかったこと

ときどき出てきて、しゃべるからよろしくね。

1 辞書《じしょ》の特徴《とくちょう》を知る

たいていの辞書《じしょ》は、その辞書《じしょ》の特徴《とくちょう》やつかい方などが、最初《さいしょ》のほうに簡潔《かんけつ》にまとめてあります。

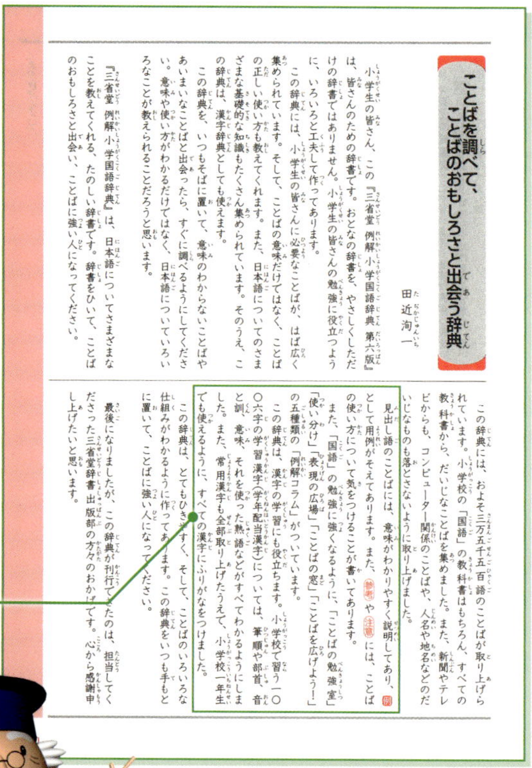

ことばを調《しら》べて、ことばのおもしろさと出会《であ》う辞典《じてん》

田近洵一《たぢかじゅんいち》

小学生《しょうがくせい》の皆《みな》さん、この『三省堂《さんせいどう》 例解《れいかい》小学国語辞典《しょうがくこくごじてん》 第六版《だいろっぱん》』は、皆《みな》さんのための辞書《じしょ》です。おとなの辞書《じしょ》を、やさしくしただけの辞書《じしょ》ではありません。小学生《しょうがくせい》の皆《みな》さんの勉強《べんきょう》に役立《やくだ》つように、いろいろと工夫《くふう》して作《つく》ってあります。

この辞典《じてん》には、小学生《しょうがくせい》の皆《みな》さんに必要《ひつよう》なことばが、はば広《ひろ》く集《あつ》められています。そして、ことばの意味《いみ》だけではなく、ことばの正《ただ》しい使《つか》い方《かた》も教《おし》えてくれます。また、日本語《にほんご》についてのさまざまな基礎的《きそてき》な知識《ちしき》もたくさん集《あつ》められています。そのうえ、この辞典《じてん》は、漢字辞典《かんじじてん》としても使《つか》えます。

この辞典《じてん》を、いつもそばに置《お》いて、意味《いみ》のわからないことばやあいまいなことばと出会《であ》ったら、すぐに調《しら》べるようにしてください。意味《いみ》や使《つか》い方《かた》がわかるだけではなく、日本語《にほんご》についていろいろなことが教《おし》えられることだろうと思《おも》います。

『三省堂《さんせいどう》 例解《れいかい》小学国語辞典《しょうがくこくごじてん》』は、日本語《にほんご》についてさまざまなことを教《おし》えてくれる、たのしい辞書《じしょ》です。辞書《じしょ》をひいて、ことばのおもしろさと出会《であ》い、ことばに強《つよ》い人《ひと》になってください。

この辞典《じてん》には、およそ三万五千五百《さんまんごせんごひゃく》語《ご》のことばが取《と》り上《あ》げられています。小学校《しょうがっこう》の「国語《こくご》」の教科書《きょうかしょ》はもちろん、すべての教科書《きょうかしょ》から、だいじなことばを集《あつ》めました。また、新聞《しんぶん》やテレビからも、コンピューター関係《かんけい》のことばや、人名《じんめい》や地名《ちめい》などのだいじなものも落《お》とさないように取《と》り上《あ》げました。

見出《みだ》し語《ご》のことばには、意味《いみ》がわかりやすく説明《せつめい》してあり、例として用例《ようれい》がそえてあります。また、参考や注意には、ことばの使《つか》い方《かた》について気《き》をつけることが書《か》いてあります。

また、「国語《こくご》」の勉強《べんきょう》に強《つよ》くなるように、「ことばの勉強室《べんきょうしつ》」「使《つか》い分《わ》け」「表現《ひょうげん》の広場《ひろば》」「ことばの窓《まど》」「ことばを広《ひろ》げよう!」の五種類《ごしゅるい》の「例解《れいかい》コラム」がついています。

この辞典《じてん》は、漢字《かんじ》の学習《がくしゅう》にも役立《やくだ》ちます。小学校《しょうがっこう》で習《なら》う一〇〇六字《じ》の学習漢字《がくしゅうかんじ》(学年配当漢字《がくねんはいとうかんじ》)については、筆順《ひつじゅん》や部首《ぶしゅ》、音《おん》と訓《くん》、意味《いみ》、それを使《つか》った熟語《じゅくご》などがすべてわかるようにしました。また、常用漢字《じょうようかんじ》も全部《ぜんぶ》取《と》り上《あ》げたうえで、小学校一年生《しょうがっこういちねんせい》でも使《つか》えるように、すべての漢字《かんじ》にふりがなをつけました。

この辞典《じてん》は、とてもひきやすく、そして、ことばのいろいろな仕組《しく》みがわかるように作《つく》ってあります。この辞典《じてん》をいつも手《て》もとに置《お》いて、ことばに強《つよ》い人《ひと》になってください。

最後《さいご》になりましたが、この辞典《じてん》が刊行《かんこう》できたのは、担当《たんとう》してくださった三省堂辞書出版部《さんせいどうじしょしゅっぱんぶ》の方々《かたがた》のおかげです。心《こころ》から感謝《かんしゃ》申《もう》し上《あ》げたいと思《おも》います。

田近洵一編『三省堂例解小学国語辞典　第六版』(三省堂)

紙面がどうなっているかを知る

右の国語辞典《じてん》の「はじめに」にあたるページには、「ことばを調べて、ことばのおもしろさと出会う辞典《じてん》」として、つぎのように書かれています。

> 見出《みだ》し語《ご》のことばには、意味《いみ》がわかりやすく説明《せつめい》してあり、例として用例《ようれい》がそえてあります。また、参考や注意には、ことばの使《つか》い方《かた》について気《き》をつけることが書《か》いてあります。
> また、「国語《こくご》」の勉強《べんきょう》に強《つよ》くなるように、「ことばの勉強室《べんきょうしつ》」「使《つか》い分《わ》け」「表現《ひょうげん》の広場《ひろば》」「ことばの窓《まど》」「ことばを広《ひろ》げよう!」の五種類《ごしゅるい》の「例解《れいかい》コラム」がついています。
> この辞典《じてん》は、漢字《かんじ》の学習《がくしゅう》にも役立《やくだ》ちます。小学校《しょうがっこう》で習《なら》う一〇〇六字《じ》の学習漢字《がくしゅうかんじ》(学年配当漢字《がくねんはいとうかんじ》)については、筆順《ひつじゅん》や部首《ぶしゅ》、音《おん》と訓《くん》、意味《いみ》、それを使《つか》った熟語《じゅくご》などがすべてわかるようにしました。また、常用漢字《じょうようかんじ》も全部《ぜんぶ》取《と》り上《あ》げたうえで、小学校一年生《しょうがっこういちねんせい》でも使《つか》えるように、すべての漢字《かんじ》にふりがなをつけました。

辞書《じしょ》のはじめの
ページをよく読めば、
その辞書《じしょ》がどんなものなのか、
わかるようになっているよ。

国語辞典《じてん》には 例 参考 注意 対 類 関連 などの記号がついています。このような記号は、たくさんあるので、この辞書《じしょ》の場合、「前見返し」とよばれる表紙のうら側《がわ》に、右ページのような「見出し語の記号」がのっています。

じつは、この本のテーマである辞書《じしょ》の活用術《じゅつ》の基本《きほん》は、このはじめの部分をよく読むことだといっても過言《かごん》ではないのです。どういうことか、これから説明《せつめい》していきます。

『三省堂例解小学国語辞典　第六版』(三省堂)

『三省堂例解小学国語辞典《さんせいどうれいかいしょうがくこくごじてん》　第五版《はん》』(三省堂《さんせいどう》)

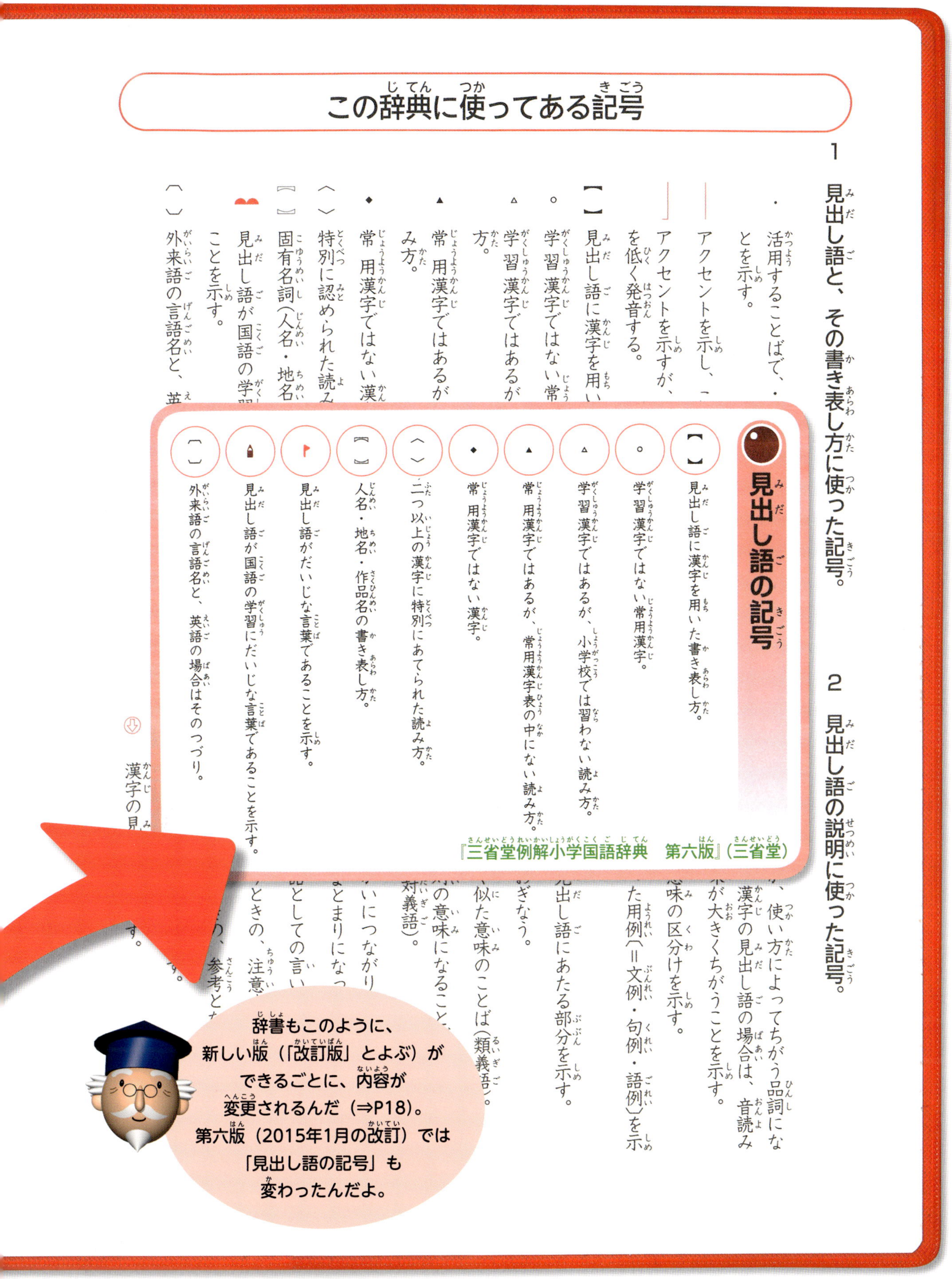

この辞典《じてん》に使《つか》ってある記号《きごう》

1　見出《みだ》し語《ご》と、その書《か》き表《あらわ》し方《かた》に使《つか》った記号《きごう》。

・　活用《かつよう》することばで、・…とを示《しめ》す。

｜　アクセントを示《しめ》し、…

」　アクセントを示《しめ》すが、…を低《ひく》く発音《はつおん》する。

【】　見出《みだ》し語《ご》に漢字《かんじ》を用《もち》い…

○　学習漢字《がくしゅうかんじ》ではない常《じょう》…

△　学習漢字《がくしゅうかんじ》ではあるが…方《かた》。

▲　常用漢字《じょうようかんじ》ではあるが…み方《かた》。

◆　常用漢字《じょうようかんじ》ではない漢《かん》…

〈〉　特別《とくべつ》に認《みと》められた読《よ》み…

〘〙　固有名詞《こゆうめいし》(人名《じんめい》・地名《ちめい》…

見出《みだ》し語《ご》が国語《こくご》の学習《がく》…ことを示《しめ》す。

〔〕　外来語《がいらいご》の言語名《げんごめい》と、英《え》…

見出《みだ》し語《ご》の記号《きごう》

【】　見出《みだ》し語《ご》に漢字《かんじ》を用《もち》いた書《か》き表《あらわ》し方《かた》。

○　学習漢字《がくしゅうかんじ》ではない常用漢字《じょうようかんじ》。

△　学習漢字《がくしゅうかんじ》ではあるが、小学校《しょうがっこう》では習《なら》わない読《よ》み方《かた》。

▲　常用漢字《じょうようかんじ》ではあるが、常用漢字表《じょうようかんじひょう》の中《なか》にない読《よ》み方《かた》。

◆　常用漢字《じょうようかんじ》ではない漢字《かんじ》。

〈〉　二《ふた》つ以上《いじょう》の漢字《かんじ》に特別《とくべつ》にあてられた読《よ》み方《かた》。

〘〙　人名《じんめい》・地名《ちめい》・作品名《さくひんめい》の書《か》き表《あらわ》し方《かた》。

⚑　見出《みだ》し語《ご》がだいじな言葉《ことば》であることを示《しめ》す。

見出《みだ》し語《ご》が国語《こくご》の学習《がくしゅう》にだいじな言葉《ことば》であることを示《しめ》す。

〔〕　外来語《がいらいご》の言語名《げんごめい》と、英語《えいご》の場合《ばあい》はそのつづり。

『三省堂例解小学国語辞典《さんせいどうれいかいしょうがくこくごじてん》　第六版《はん》』(三省堂《さんせいどう》)

2　見出《みだ》し語《ご》の説明《せつめい》に使《つか》った記号《きごう》。

…、使《つか》い方《かた》によってちがう品詞《ひんし》にな…
漢字《かんじ》の見出《みだ》し語《ご》の場合《ばあい》は、音読《おんよ》み…
…が大《おお》きくちがうことを示《しめ》す。
…味《み》の区分《くわ》けを示《しめ》す。
…た用例《ようれい》(＝文例《ぶんれい》・句例《くれい》・語例《ごれい》)を示《しめ》…
…見出《だ》し語《ご》にあたる部分《ぶぶん》を示《しめ》す。
…ぎなう。
…似《に》た意味《いみ》のことば(類義語《るいぎご》)。
…の意味《いみ》になること…
…対義語《たいぎご》)。
…いにつながり…
…とまりになっ…
…語としての言《い》い…
…ときの、注意《ちゅうい》…
…の、参考《さんこう》と…
…す。
…す。
⇩　漢字《かんじ》の見《み》…

辞書《じしょ》もこのように、
新しい版《はん》(「改訂版《かいていばん》」とよぶ)が
できるごとに、内容《ないよう》が
変更《へんこう》されるんだ(⇒P18)。
第六版《はん》(2015年1月の改訂《かいてい》)では
「見出し語の記号」も
変《か》わったんだよ。

標準《ひょうじゅん》アクセントがつかわれている地域《ちいき》はごく一部で、大部分は地域《ちいき》ごとにアクセントが異《こと》なり、同音異義語《どうおんいぎご》については、アクセントの差《さ》があまりないものも多いため、第六版《はん》ではアクセント記号は、すべて削除《さくじょ》された。また、見出し語がだいじな言葉であることをしめす記号⚑が追加《ついか》された。

2 小学生向けの国語辞典《じてん》の口絵の工夫《くふう》

辞書《じしょ》をより役に立つものにしようとして、多くの小学生向けの国語辞典《じてん》のはじめの部分には、カラーの写真やイラストがのっている口絵がついています。

口絵とは?

口絵は書籍《しょせき》や雑誌《ざっし》で表紙のつぎ、または、本文の前にあるページのことで、カラー印刷《いんさつ》になっているものが多く、それぞれの辞書《じしょ》であつかう内容《ないよう》が工夫《くふう》されています。下は右の3つの国語辞典《じてん》の口絵の項目《こうもく》です。

『新《しん》レインボー小学国語辞典《しょうがくこくごじてん》　改訂《かいてい》第5版《はん》』
(学研《がっけん》)
写真で見ることわざ・慣用句《かんようく》
日本の伝統《でんとう》行事と季節《きせつ》の言葉
植物の漢字、生き物の漢字

『旺文社小学国語新辞典《おうぶんしゃしょうがくこくごしんじてん》　第四版《はん》』
(旺文社《おうぶんしゃ》)
からだの部分が入った慣用句《かんようく》
外国から来て日本語になったことば
季語《きご》—季節《きせつ》をあらわすことば
十二支《じゅうにし》

『例解学習国語辞典《れいかいがくしゅうこくごじてん》　第十版《ばん》』
(小学館《しょうがくかん》)
学校で出会う慣用句《かんようく》

『新《しん》レインボー
小学国語辞典《しょうがくこくごじてん》
改訂《かいてい》第5版《はん》』
(学研《がっけん》)

『旺文社《おうぶんしゃ》
小学国語新辞典《しょうがくこくごしんじてん》
第四版《はん》』
(旺文社《おうぶんしゃ》)

『例解学習《れいかいがくしゅう》
国語辞典《こくごじてん》　第十版《ばん》』
(小学館《しょうがくかん》)

慣用句《かんようく》はふたつ以上《いじょう》の言葉が結《むす》びついて、ある特別《とくべつ》の意味をあらわす言葉のことだよ。

辞書《じしょ》をつくる人たちの願《ねが》い

このページで見た辞書《じしょ》はもちろん、どの辞書《じしょ》も、それをつくる人たちは、より役立つ、よりわかりやすいものをつくろうと、さまざまな工《く》夫《ふう》をしています。

『三省堂例解小学国語辞典《さんせいどうれいかいしょうがくこくごじてん》　第六版《はん》』には、最初《さいしょ》につぎのように書いてあります。

> この辞典《じてん》は、とてもひきやすく、そして、ことばのいろいろな仕組みがわかるように作ってあります。この辞典《じてん》をいつも手もとに置《お》いて、ことばに強い人になってください。

こうしたつくり手の願《ねが》いがあることは、読者も知っておくとよいでしょう。

まめちしき

ふろく

辞書《じしょ》には函《はこ》がついていて、小学生用の国語辞典《じてん》にはポスターや小冊子《しょうさっし》がついているものもある。

『三省堂例解小学国語《さんせいどうれいかいしょうがくこくご》辞典《じてん》　第六版《はん》』には、新「いろはがるた」・百人一首のポスターがついている。

『旺文社小学国語新辞典《おうぶんしゃしょうがくこくごしんじてん》　第四版《はん》』についている「国語辞典《じてん》の使い方」の小冊子《しょうさっし》。

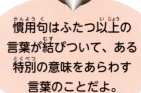

辞書《じしょ》のつかい方についてのアンケート

辞書《じしょ》のつくり手は、読者のために考えられるあらゆることを工夫《くふう》しています。そうしたつくり手の思いは、読者に伝《つた》わっているでしょうか。

「小学生向けの国語辞典《じてん》のつかい方についてのアンケート」の結果《けっか》

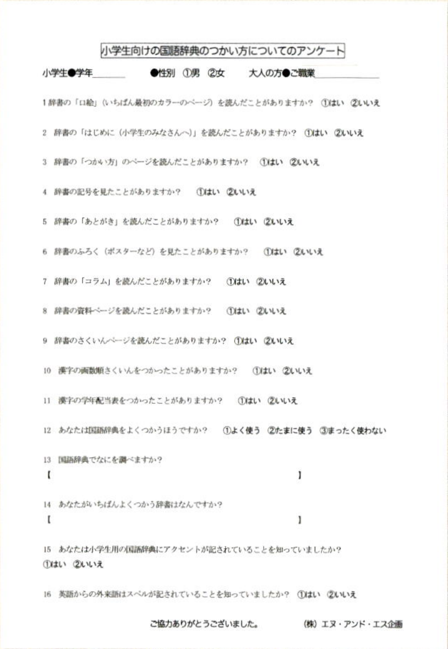

小学生向けの国語辞典のつかい方についてのアンケート

小学生●学年＿＿＿＿　●性別　①男　②女　大人の方●ご職業＿＿＿＿＿＿

1 辞書の「口絵」（いちばん最初のカラーのページ）を読んだことがありますか？　①はい　②いいえ

2 辞書の「はじめに（小学生のみなさんへ）」を読んだことがありますか？　①はい　②いいえ

3 辞書の「つかい方」のページを読んだことがありますか？　①はい　②いいえ

4 辞書の記号を見たことがありますか？　①はい　②いいえ

5 辞書の「あとがき」を読んだことがありますか？　①はい　②いいえ

6 辞書のふろく（ポスターなど）を見たことがありますか？　①はい　②いいえ

7 辞書の「コラム」を読んだことがありますか？　①はい　②いいえ

8 辞書の資料ページを読んだことがありますか？　①はい　②いいえ

9 辞書のさくいんページを読んだことがありますか？　①はい　②いいえ

10 漢字の画数順さくいんをつかったことがありますか？　①はい　②いいえ

11 漢字の学年配当表をつかったことがありますか？　①はい　②いいえ

12 あなたは国語辞典をよくつかうほうですか？　①よく使う　②たまに使う　③まったく使わない

13 国語辞典でなにを調べますか？

【　　　　　　　　　　】

14 あなたがいちばんよくつかう辞書はなんですか？

【　　　　　　　　　　】

15 あなたは小学生用の国語辞典にアクセントが記されていることを知っていましたか？

①はい　②いいえ

16 英語からの外来語はスペルが記されていることを知っていましたか？　①はい　②いいえ

ご協力ありがとうございました。　（株）エヌ・アンド・エス企画

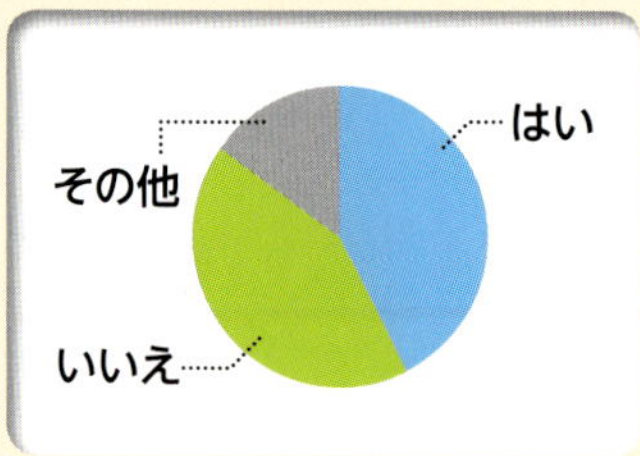

調査《ちょうさ》人数 ……

子ども **261**人

大人 **103**人

1. 辞書《じしょ》の「口絵」（いちばん最初《さいしょ》のカラーのページ）を読んだことがありますか？

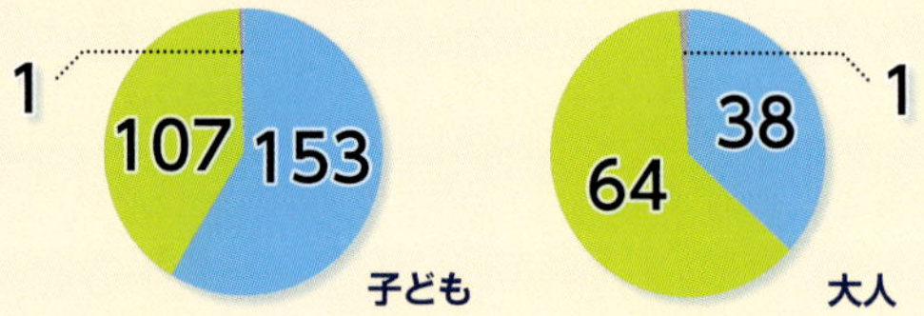

2. 辞書《じしょ》の「はじめに」を読んだことがありますか？

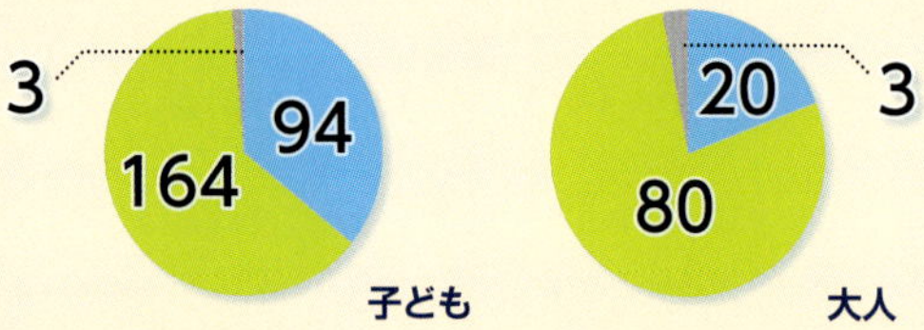

3. 辞書《じしょ》の「つかい方」のページを読んだことがありますか？

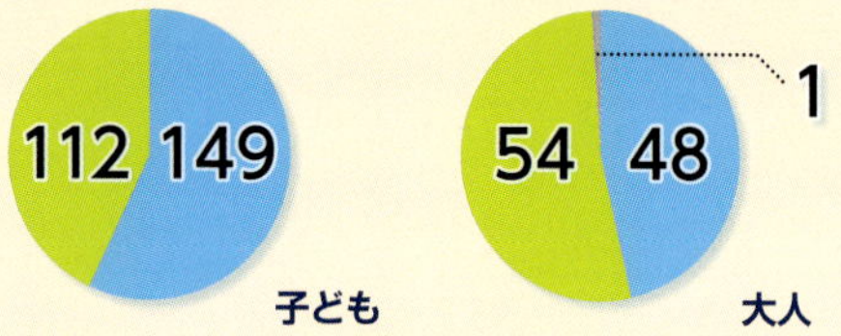

4. 辞書《じしょ》の記号を見たことがありますか？

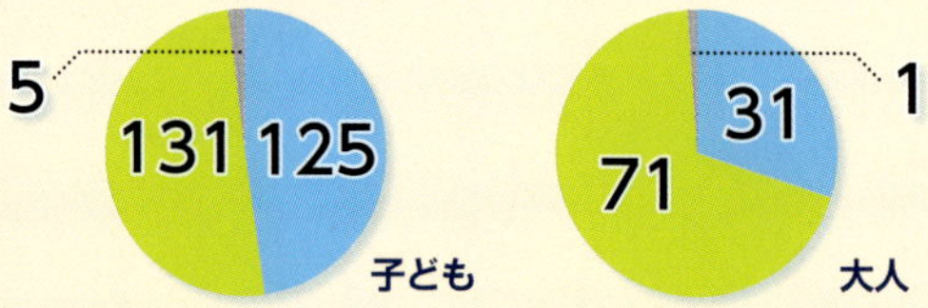

5. 辞書《じしょ》の「あとがき」を読んだことがありますか？

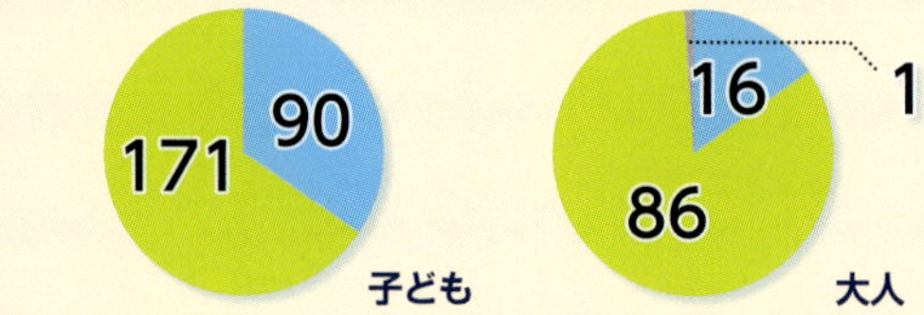

6. 辞書《じしょ》のふろく（ポスターなど）を見たことがありますか？

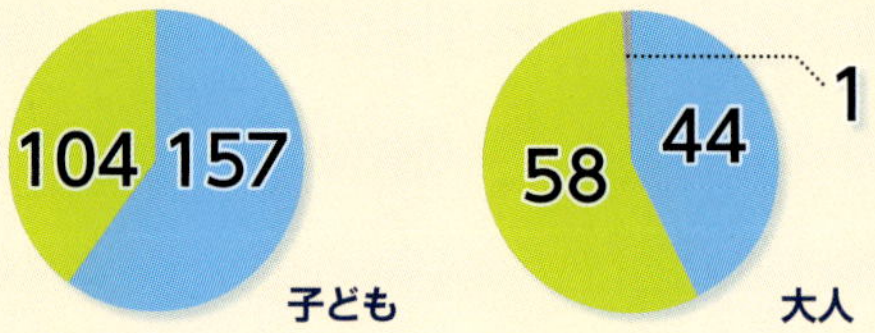

7. 辞書《じしょ》の「コラム」を読んだことがありますか？

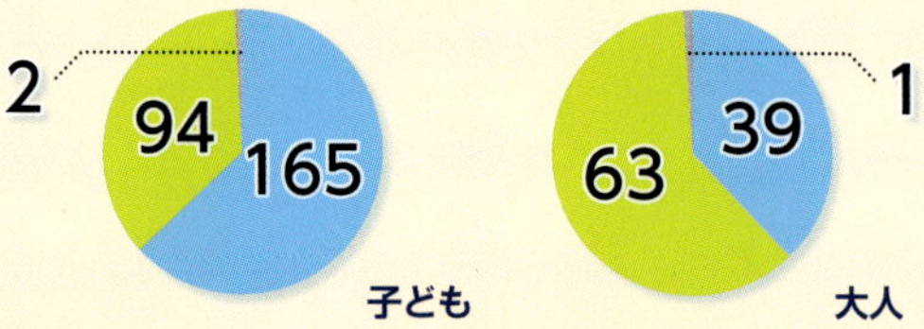

8. 辞書《じしょ》の資料《しりょう》ページを読んだことがありますか？

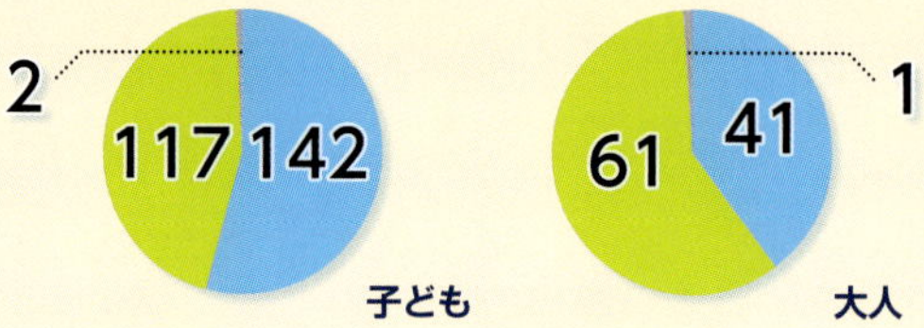

9. 辞書《じしょ》のさくいんページを読んだことがありますか？

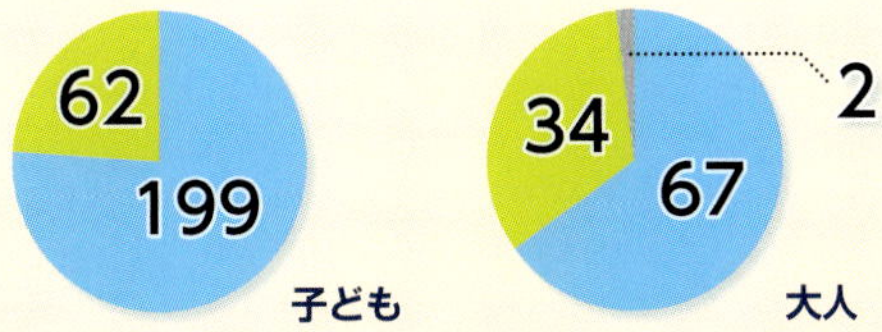
62
199
子ども
34
67
2
大人

12. あなたは国語辞典《じてん》をよくつかうほうですか？

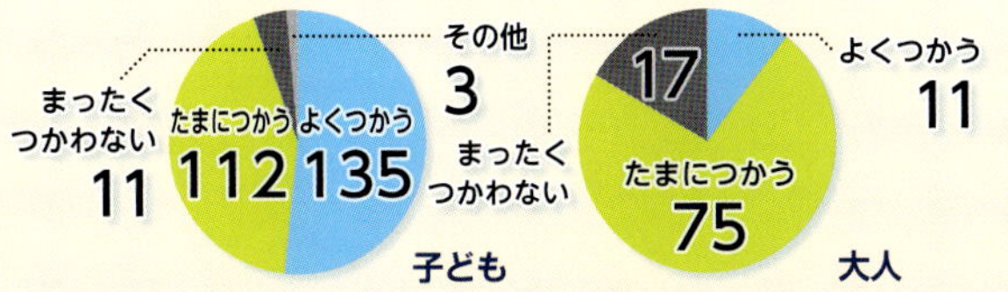
まったくつかわない
11
たまにつかう
112
よくつかう
135
その他
3
子ども
まったくつかわない
17
たまにつかう
75
よくつかう
11
大人

10. 漢字の画数順《じゅん》さくいんをつかったことがありますか？

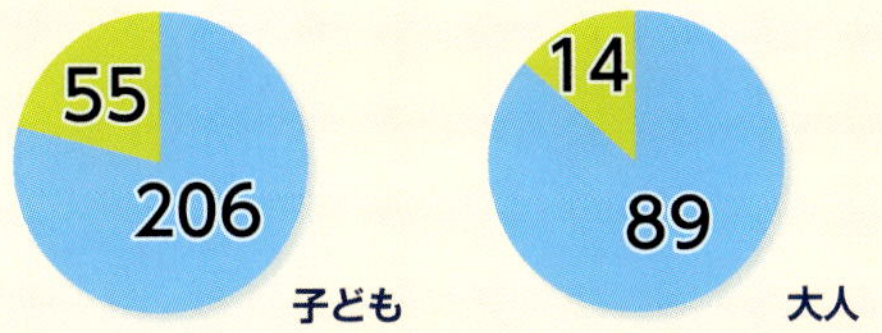
55
206
子ども
14
89
大人

15. あなたは小学生用の国語辞典《じてん》にアクセントが記されていることを知っていましたか？

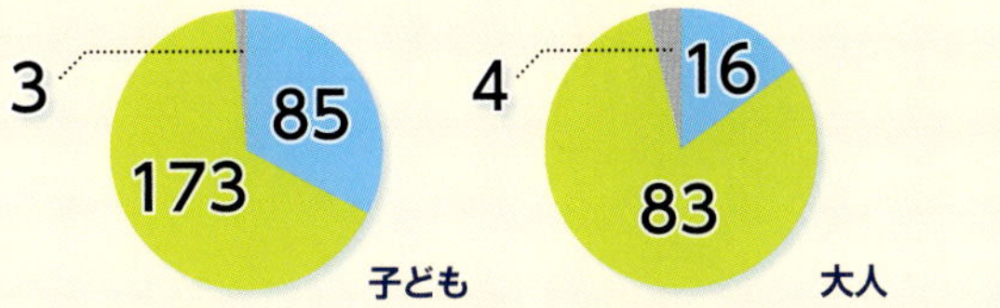
3
85
173
子ども
4
16
83
大人

11. 漢字の学年配当表をつかったことがありますか？

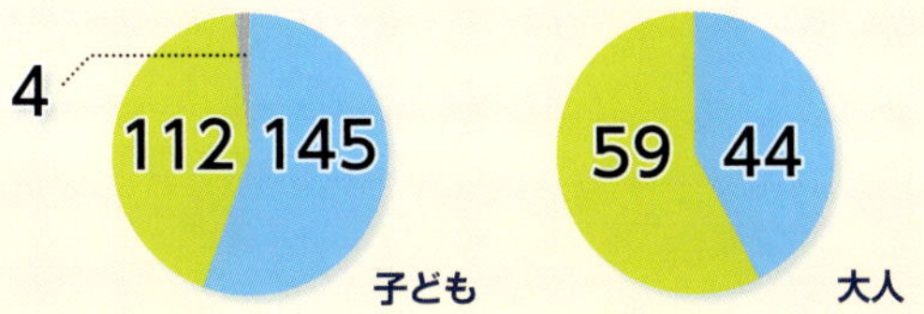
4
112
145
子ども
59
44
大人

16. 英語《えいご》からの外来語《がいらいご》はスペルが記されていることを知っていましたか？

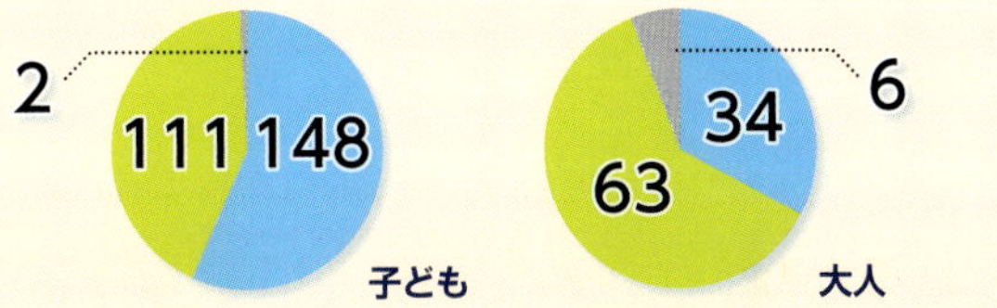
2
111
148
子ども
34
6
63
大人

アンケートからわかったこと

6ページで紹介《しょうかい》した「はじめに」も、いろいろな工夫《くふう》がこらされた口絵も、多くの人は読んでいないことが、アンケートからわかりました。

辞書《じしょ》のもつ機能《きのう》を100とすればそのうちどのくらいがつかわれているのでしょうか。50？、30？、10？……。いちばん顕著《けんちょ》なのが、小学生用の国語辞典《じてん》のアクセント！　辞書《じしょ》にアクセント記号がついていることを、ほとんどの人が知りません。小学生だけでなく大人も、それも学校の先生や司書《ししょ》さん、本をつくる仕事をしている人たちでさえ知らない人が多くいるという事実！　これはとても残念《ざんねん》なことです。「ああ、そうだったんだ」と思った人が多いでしょう。その「ああ」は、前の「あ」が高くなることを考えてください。これも右のように辞書《じしょ》には、ちゃんとしめされているのです。

アクセントは｜でしめされている。
｜の部分を高く発音する。
田近洵一編『三省堂例解小学国語辞典　第五版』(三省堂)

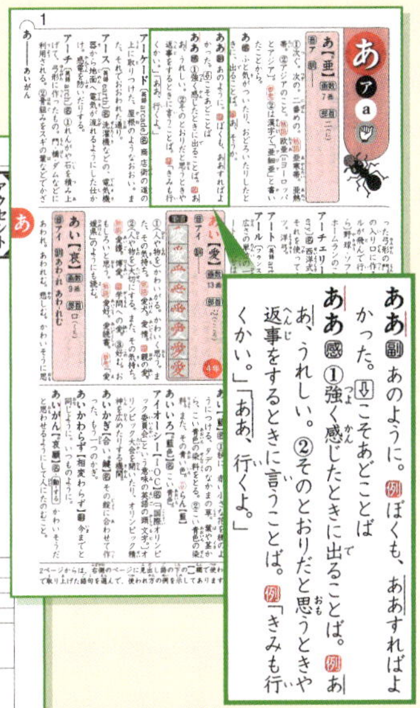
ああ 副 あのように。例 ぼくも、ああすればよかった。⇩こそあどことば
ああ 感 ①強《つよ》く感《かん》じたときに出《で》ることば。例 ああ、うれしい。②そのとおりだと思《おも》うときや返事《へんじ》をするときに言《い》うことば。例「きみも行《い》くかい。」「ああ、行《い》くよ。」

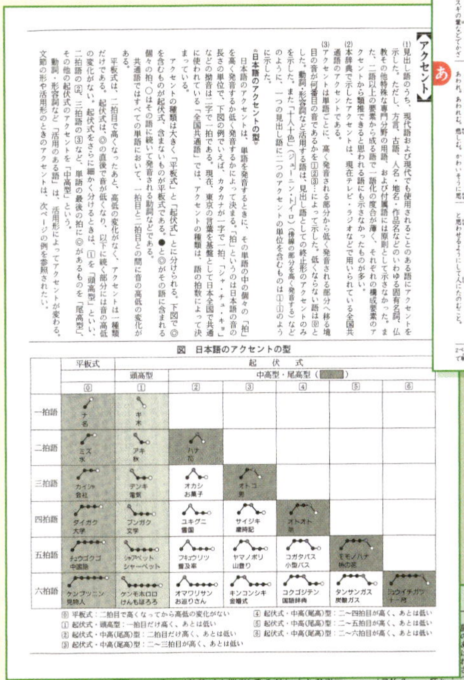
図　日本語のアクセントの型
平板式
起伏式
頭高型
中高型・尾高型
一拍語
二拍語
三拍語
四拍語
五拍語
六拍語
キンコンシキ
金婚式
コクゴジテン
国語辞典
タンサンガス
炭酸ガス
④ 起伏式・中高(尾高)型：二〜四拍目が高
⑤ 起伏式・中高(尾高)型：二〜五拍目が高
⑥ 起伏式・中高(尾高)型：二〜六拍目が高

アクセントは、0〜6の数字で表記されている。
松村明編『大辞林　第三版』(三省堂)

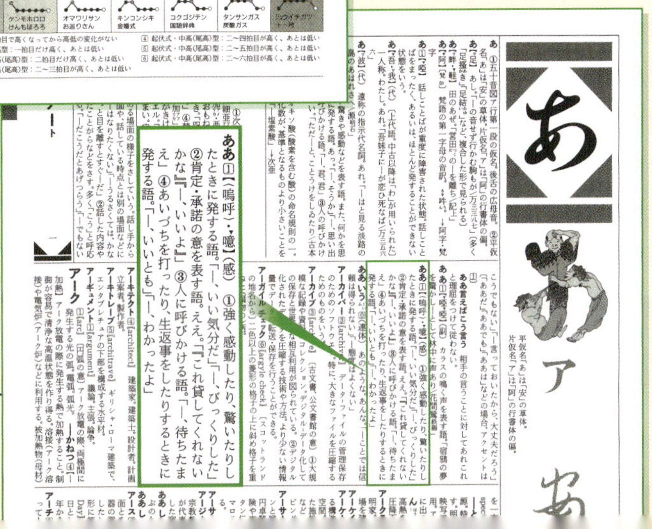
ああ ①【〈嗚呼〉・噫】(感) ①強く感動したり、驚いたりしたときに発する語。「—、いい気分だ」「—、びっくりした」②肯定・承諾の意を表す語。ええ。「『これ貸してくれないかな』『—、いいよ』」③人に呼びかける語。「—、待ちたまえ」④あいづちを打ったり、生返事をしたりするときに発する語。「—、いいとも」「—、わかったよ」

3 「つかい方」を知る

「はじめに」からもその辞書《じしょ》のつかい方はわかりますが、つかい方のページには、その辞書《じしょ》の活用術《じゅつ》が満載《まんさい》です。

辞書《じしょ》のつかい方の例《れい》

ここでは、7ページの『三省堂例解小学国語《さんせいどうれいかいしょうがくこくご》辞典《じてん》　第六版《はん》』のほか、小学校低学年《ていがくねん》向けの『三省堂《さんせいどう》こどもこくごじてん』のつかい方のページを詳《くわ》しく見てみましょう。

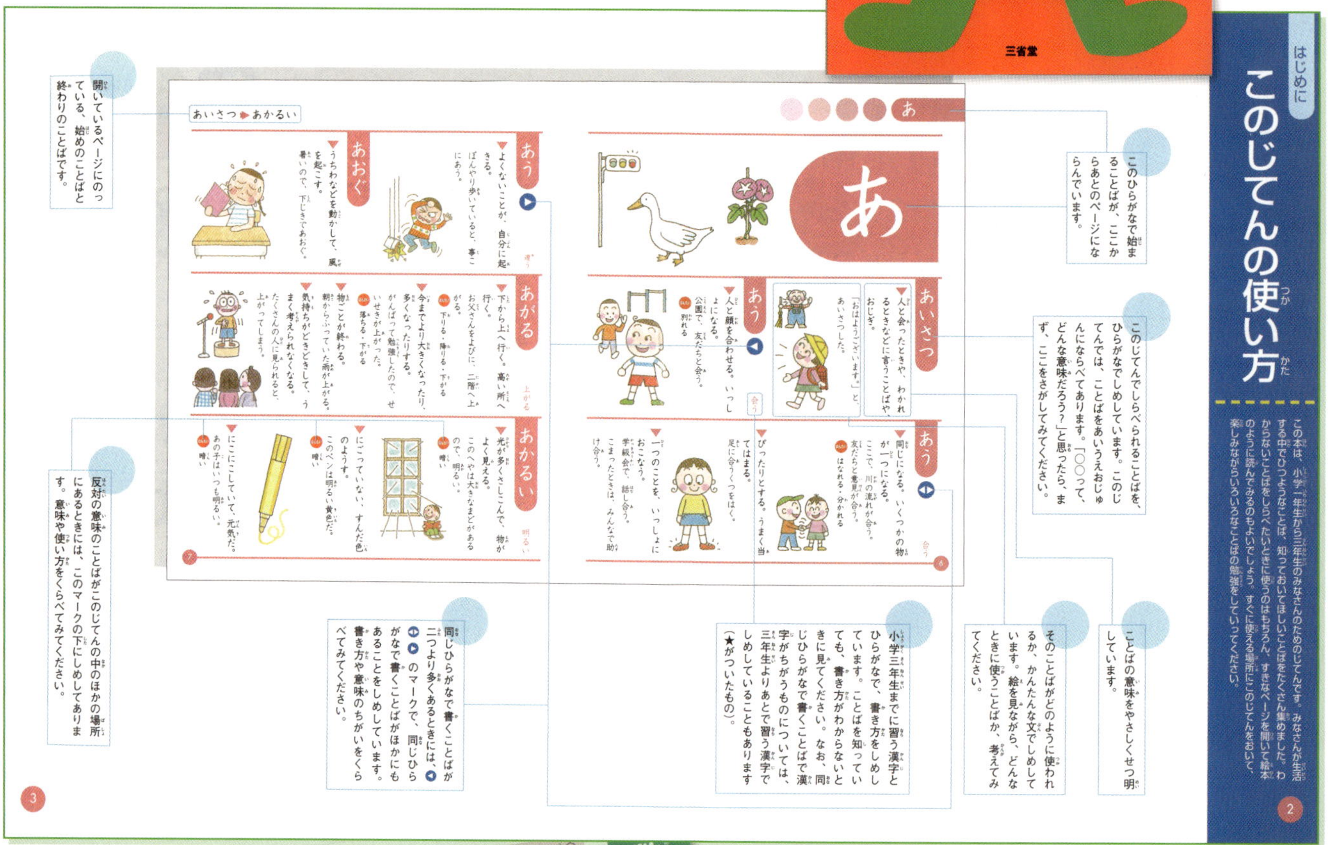

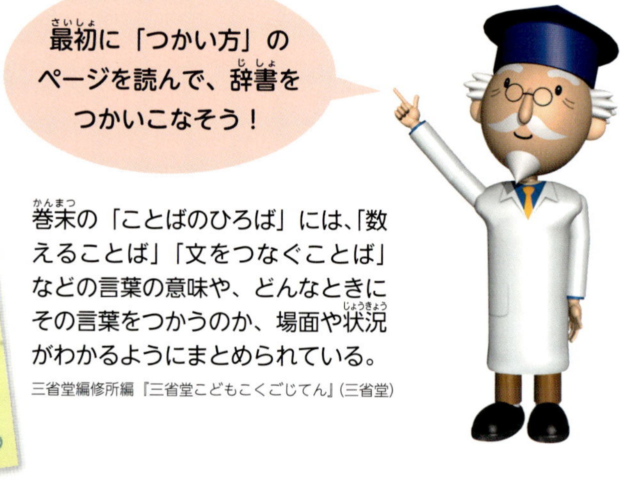

巻末《かんまつ》の「ことばのひろば」には、「数えることば」「文をつなぐことば」などの言葉の意味や、どんなときにその言葉をつかうのか、場面や状況《じょうきょう》がわかるようにまとめられている。

三省堂編修所編『三省堂こどもこくごじてん』（三省堂）

「辞典《じてん》の引き方」には、見出し語がどのような決まりでならべられているか、説明《せつめい》されている。

「見出し語でわかること」には、見出し語についているマークや記号の意味が説明《せつめい》されている。

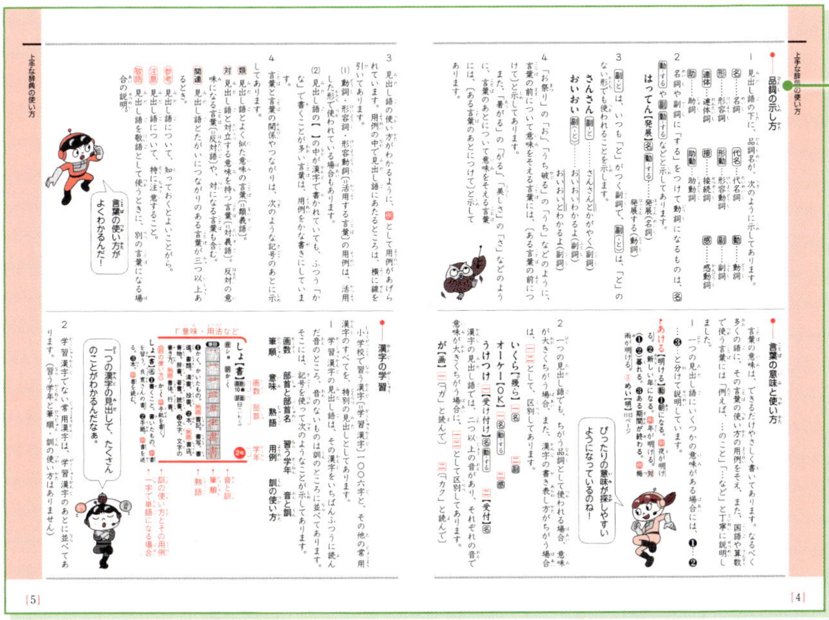

「品詞《ひんし》の示《しめ》し方」には、見出し語の下についている品詞名《ひんしめい》が説明《せつめい》されている。たとえば、「名詞《めいし》」は名と表記してある。

「例解《れいかい》コラム」では、言葉のつかい方のヒントをしめすさまざまなコラムの内容《ないよう》を説明《せつめい》している。

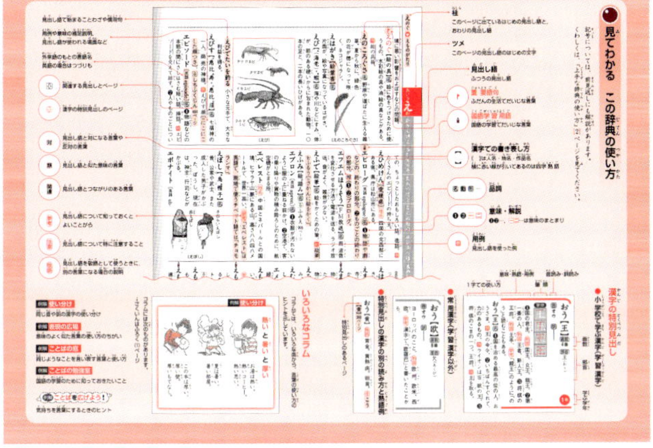

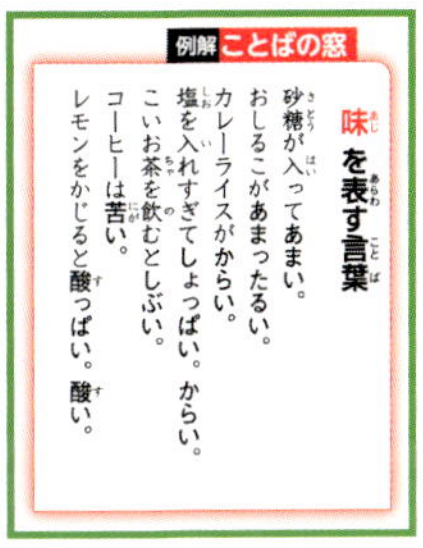

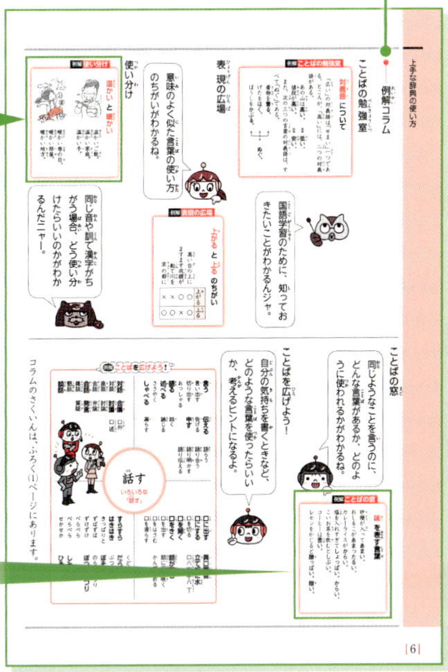

『三省堂例解小学国語辞典　第六版』(三省堂)

辞典《じてん》の引《ひ》き方《かた》

1 見出《みだ》し語《ご》は、**五十音順《ごじゅうおんじゅん》**(＝あいうえお順《じゅん》)に並《なら》べてあります。一字《いちじ》めが同《おな》じ場合《ばあい》は、二字《にじ》めの五十音順《ごじゅうおんじゅん》、二字《にじ》めも同《おな》じ場合《ばあい》は、三字《さんじ》めの五十音順《ごじゅうおんじゅん》です。

2 **カタカナの長音《ちょうおん》**(＝長《なが》くのばす音《おん》)は、その前《まえ》の音《おん》を長《なが》くのばしたときの母音《ぼいん》「あ・い・う・え・お」に置《お》きかえて並《なら》べてあります。

[例《れい》]「アーチ」は、「ああち」に置《お》きかえて引《ひ》きます。

3 **清音《せいおん》**が先《さき》で、**濁音《だくおん》・半濁音《はんだくおん》**の順《じゅん》に並《なら》べてあります。

[例《れい》]「はん(班)」→「ばん(番)」→「パン」

4 **直音《ちょくおん》**が先《さき》で、**拗音《ようおん》・促音《そくおん》**をあとに並《なら》べてあります。

[例《れい》]「ひよう(費用)」＝直音《ちょくおん》→「ひょう(表)」＝拗音《ようおん》

「いつか」＝直音《ちょくおん》→「いっか(一家)」＝促音《そくおん》

5 **ひらがな**を先《さき》に、**カタカナ**をあとに並《なら》べてあります。

[例《れい》]「くらす(暮らす)」→「クラス」

6 同《おな》じ音《おん》のときは次《つぎ》のように並《なら》べてあります。

(1) 漢字《かんじ》の書《か》き方《かた》を示《しめ》した言葉《ことば》を先《さき》に、かなだけの言葉《ことば》をあとに

(2) 漢字《かんじ》の書《か》き方《かた》を示《しめ》した言葉《ことば》は、【 】の中《なか》の漢字《かんじ》が常用漢字表《じょうようかんじひょう》にあるものを先《さき》に、常用漢字《じょうようかんじ》表《ひょう》にない読《よ》み方《かた》の漢字《かんじ》や常用漢字《じょうようかんじ》でない漢字《かんじ》をあとに

[例《れい》]うま【馬】 →うま【▲午】

さかな【魚】 →さかな【◆肴】

(3) 【 】の中《なか》の字数《じすう》が少《すく》ない順《じゅん》に

[例《れい》]おこる【°怒る】(二字)→おこる【起こる】(三字)

(4) 字数《じすう》が同《おな》じときは【 】の中《なか》の漢字《かんじ》の画数《かくすう》が少《すく》ない順《じゅん》に。一《いち》字《じ》めの画数《かくすう》が同《おな》じときは、二字《にじ》めの画数《かくすう》が少《すく》ない順《じゅん》に。二《に》字《じ》めも同《おな》じ場合《ばあい》は、三字《さんじ》めの画数《かくすう》が少《すく》ない順《じゅん》に

[例《れい》]あいしょう【相△性】(「相」は9画《かく》)

→あいしょう【愛°称】(「愛」は13画《かく》、「称」は10画《かく》)

→あいしょう【愛唱】(「愛」は13画《かく》、「唱」は11画《かく》)

(5) 人名《じんめい》・地名《ちめい》・作品名《さくひんめい》はいちばんあとに

ならび順《じゅん》がポイント

目的《もくてき》の言葉をはやく見つけて、辞書《じしょ》を上手につかうには、見出し語のならび順《じゅん》を正しく理解《りかい》しておくことが重要《じゅうよう》です。6ページから見てきた辞《じ》書《しょ》には、上のように言葉がどのようにならべてあるかが書かれています。

アーケ→ああけ
アース→ああす
アーチ→ああち
として、3字目で順番《じゅんばん》が決まる。

愛《あい》(13画)→哀《あい》(9画)→挨《あい》(10画)→曖《あい》(17画)
愛《あい》は小学校で習う漢字のため、いちばん先、ほかの3つは画数の少ない順《じゅん》にならべられている。

Q 下の4つの言葉のならび順《じゅん》は？

①ああ ②あと
③アトピー ④アート

…… 答えP15

あ ▽ アイオーシー

あいうえお　かきくけこ　さしすせそ　たちつてと　なにぬねの　はひふへほ　まみむめも　や　ゆ　よ　らりるれろ　わ　を　ん

あ　ア | a

あ【亜】 画数 7画 部首 二(に)
音 ア 訓 ―
❶次《つ》ぐ。次《つぎ》の。二番《にばん》めの。熟語 亜寒帯《あかんたい》。亜《あ》熱帯《ねったい》。❷アジアのこと。熟語 欧亜《おうあ》(＝ヨーロッパとアジア)。参考 ❷は漢字《かんじ》で「亜細亜《アジア》」と書《か》いたことから。

あ 感 ふと気《き》がついたり、おどろいたりしたときに、出《で》る言葉《ことば》。例 あ、そうか。

ああ 副 あのように。例 ぼくも、ああすればよかった。⇩こそあどことば 402ページ

ああ 感 ❶強《つよ》く感《かん》じたときに出《で》る言葉《ことば》。例 ああ、うれしい。❷そのとおりだと思《おも》うときや返事《へんじ》をするときに言《い》う言葉《ことば》。例「君《きみ》も行《い》くかい。」「ああ、行《い》くよ。」

アーケード 〔英語 arcade〕名 商店街《しょうてんがい》の道《みち》の上《うえ》に取《と》りつけた、屋根《やね》のようなおおい。また、それでおおわれた通《とお》り。

アース 〔英語 earth〕名 洗濯機《せんたくき》などの、電気機器《でんききき》から地面《じめん》へ電気《でんき》が流《なが》れるようにした仕《し》かけ。感電《かんでん》を防《ふせ》いだりする。

アーチ 〔英語 arch〕名 ❶れんがや石《いし》を積《つ》み上《あ》げて、弓形《ゆみがた》に作《つく》ったもの。門《もん》・橋《はし》・ダムなどに利用《りよう》される。❷骨組《ほねぐ》みをスギの葉《は》などでかざった弓形《ゆみがた》の門《もん》。会場《かいじょう》などの入《い》り口《ぐち》に作《つく》る。❸〔ボールが飛《と》んで行《い》くようすから〕野球《やきゅう》・ソフトボールで、ホームランのこと。

アーチェリー 〔英語 archery〕名 西洋式《せいようしき》の弓《ゆみ》。また、それを使《つか》ってするスポーツ。洋弓《ようきゅう》。

アーティスト 〔英語 artist〕名 芸術家《げいじゅつか》。特《とく》に、音楽家《おんがくか》や歌手《かしゅ》などをいうことが多《おお》い。アーチスト。

〔アーチ❶〕

アート 〔英語 art〕名 芸術《げいじゅつ》。美術《びじゅつ》。

アール 〔フランス語〕名 メートル法《ほう》で、土地《とち》の広《ひろ》さの単位《たんい》の一《ひと》つ。一アールは一〇〇平方《へいほう》メートル。記号《きごう》は「a」。

あい【愛】 画数 13画 部首 心(こころ) 4年
音 アイ 訓 ―
筆順 愛 愛 愛 愛 愛 愛 愛 愛
❶かわいがる。かわいく思《おも》う。熟語 愛玩《あいがん》。愛犬《あいけん》。愛情《あいじょう》。最愛《さいあい》。恋愛《れんあい》。対 憎《ぞう》。❷大切《たいせつ》にする。熟語 愛護《あいご》。愛着《あいちゃく》。博愛《はくあい》。友愛《ゆうあい》。❸好《この》む。おもしろいと思《おも》う。熟語 愛好《あいこう》。愛読《あいどく》。愛書《あいしょ》。参考「愛媛県《えひめけん》」のようにも読《よ》む。⇩あいする 3ページ

あい【愛】 名 ❶人や物《もの》をかわいいと思《おも》う、温かい気持《きも》ち。例 子《こ》を思《おも》う親《おや》の愛。❷大切《たいせつ》に思《おも》う気持《きも》ち。例 学問《がくもん》への愛。

あい【哀】 画数 9画 部首 口(くち)
音 アイ 訓 あわ-れ あわ-れむ
あわれ。あわれむ。悲《かな》しむ。かわいそうに思《おも》う。熟語 哀願《あいがん》。悲哀《ひあい》。

あい【挨】 画数 10画 部首 扌(てへん)
音 アイ 訓 ―
おす。そばに寄《よ》る。熟語 挨拶《あいさつ》。

あい【曖】 画数 17画 部首 日(ひへん)
音 アイ 訓 ―
日《ひ》が雲《くも》に包《つつ》まれて、くらい。熟語 曖昧《あいまい》。

あい【相】 〔ある言葉《ことば》の前《まえ》につけて〕❶「たがいに」「いっしょに」の意味《いみ》を表《あらわ》す。例 相打《あいう》ち。❷言葉《ことば》の調子《ちょうし》を整《ととの》えたり、強《つよ》めたりする。例 相変《あいか》わらず。⇩そう【相】640ページ

あい【°藍】 名 ❶秋《あき》に、赤《あか》い小《ちい》さな花《はな》を穂《ほ》のようにつける、タデの仲間《なかま》の草《くさ》。葉《は》や茎《くき》から、こい青色《あおいろ》の染料《せんりょう》をとる。❷こい青色《あおいろ》の染料《せんりょう》。また、その青《あお》い色《いろ》。⇩らん【藍】1193ページ

あいいろ【°藍色】 名 こい青色《あおいろ》。

アイエスオー【ISO】 名〔「国際標準化機構《こくさいひょうじゅんかきこう》」という意味《いみ》の英語《えいご》の頭《かしら》文字《もじ》。〕工業《こうぎょう》や農業《のうぎょう》の製品《せいひん》の大《おお》きさや形《かたち》・品質《ひんしつ》などの基準《きじゅん》を、世界共通《せかいきょうつう》にするために作《つく》られた機関《きかん》。

アイオーシー【IOC】 名〔「国際《こくさい》オリンピック委員会《いいんかい》」という意味《いみ》の英語《えいご》の頭《かしら》文字《もじ》。〕オリンピック大会《たいかい》を開《ひら》いたり、オリンピック精《せい》

この欄《らん》には，左側《ひだりがわ》のページに短歌《たんか》や俳句《はいく》を，右側《みぎがわ》のページにはその訳《やく》をのせています。630ページからは，本文《ほんぶん》の見出《みだ》しで取《と》り上《あ》げた慣用句《かんようく》やことわざなどを選《えら》んで，使《つか》われ方《かた》の例《れい》を示《しめ》しています。

1

『三省堂例解小学国語辞典　第六版』(三省堂)

見出し語の範囲《はんい》

どの辞書《じしょ》も右ページの右端《みぎはし》と左ページの左端《ひだりはし》に、それぞれそのページにのっている見出し語の最初《さいしょ》と最後《さいご》のものがわかるように記されています。この部分は「はしら」とよびます。

はやく引くには？

つめ

三省堂
例解小学国語辞典
あ
か
さ
た
な
は
ま
や
ら
わ
ふろく

写真の「あ」から「わ」と書かれた部分を「つめ」とよびます。辞書《じしょ》をはやく引くには「つめ」をつかいます。たとえば「くぎ」を引くには、「く」が「か行」のまんなかなので、「か行」のまんなかあたりを開きます。「く」のつく見出し語が出てきたら「はしら」を見て、「くぎ」のあるページを探《さが》します。

右ページのはしら

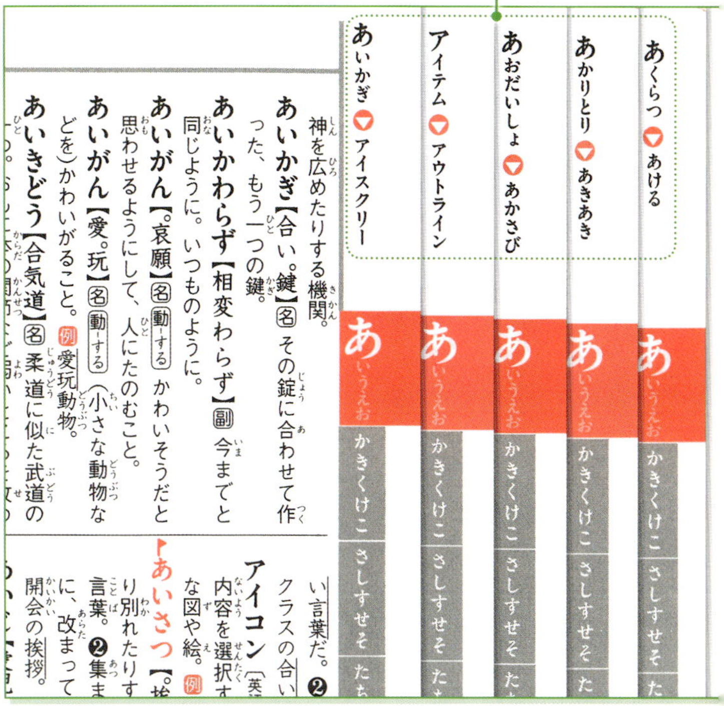

あくらつ▼あける
あかりとり▼あきあき
あおだいしょ▼あかさび
アイテム▼アウトライン
あいかぎ▼アイスクリー
神《しん》を広《ひろ》めたりする機関《きかん》。
あいかぎ【合い。鍵】名 その錠《じょう》に合《あ》わせて作《つく》った、もう一《ひと》つの鍵《かぎ》。
あいかわらず【相変わらず】副 今《いま》までと同《おな》じように。いつものように。
あいがん【。哀願】名 動-する かわいそうだと思《おも》わせるようにして、人《ひと》にたのむこと。
あいがん【愛。玩】名 動-する (小《ちい》さな動物《どうぶつ》などを)かわいがること。例 愛玩動物。
あいきどう【合気道】名 柔道《じゅうどう》に似《に》た武道《ぶどう》の

左ページのはしら

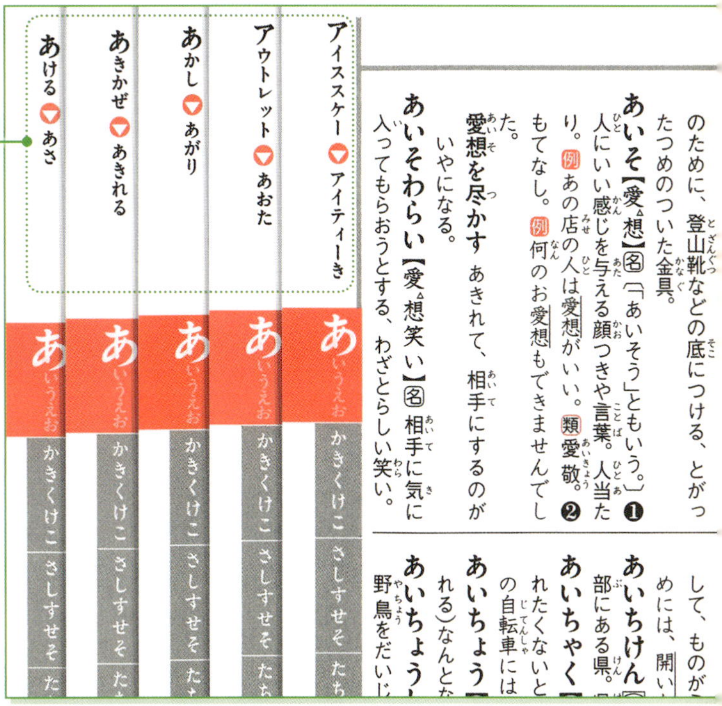

アイススケー▼アイティーき
アウトレット▼あおた
あかし▼あがり
あきかぜ▼あきれる
あける▼あさ
のために、登山靴《とざんぐつ》などの底《そこ》につける、とがったつめのついた金具《かなぐ》。
あいそ【愛。想】名〔「あいそう」ともいう。〕❶人《ひと》にいい感《かん》じを与《あた》える顔《かお》つきや言葉《ことば》。人当《ひとあ》たり。例 あの店《みせ》の人《ひと》は愛想がいい。類 愛敬《あいきょう》。❷もてなし。例 何《なん》のお愛想もできませんでした。
愛想《あいそ》を尽《つ》かす あきれて、相手《あいて》にするのがいやになる。
あいそわらい【愛。想笑い】名 相手《あいて》に気《き》に入《い》ってもらおうとする、わざとらしい笑《わら》い。

『三省堂例解小学国語辞典　第六版』（三省堂）

まめちしき

いろは順《じゅん》の辞書《じしょ》

江戸《えど》時代の終わりごろまで、ほとんどの日本の辞書《じしょ》は、見出し語をいろは順《じゅん》に掲載《けいさい》していた。平安《へいあん》時代につくられた辞書《じしょ》『色葉字類抄《いろはじるいしょう》』は、見出し語の漢字の読みを「いろはにほへとちりぬるを……」の順《じゅん》にならべている（⇒2巻《かん》P16）。明治《めいじ》時代に大槻文彦《おおつきふみひこ》がつくったはじめての近代的《きんだいてき》国語辞典《じてん》『言海《げんかい》』が五十音順《じゅん》を採《さい》用《よう》したことから、五十音引きの国語辞典《じてん》が広くつかわれるようになったという。

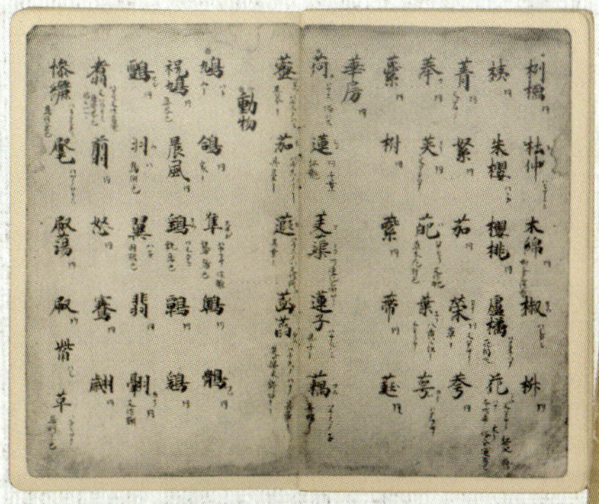

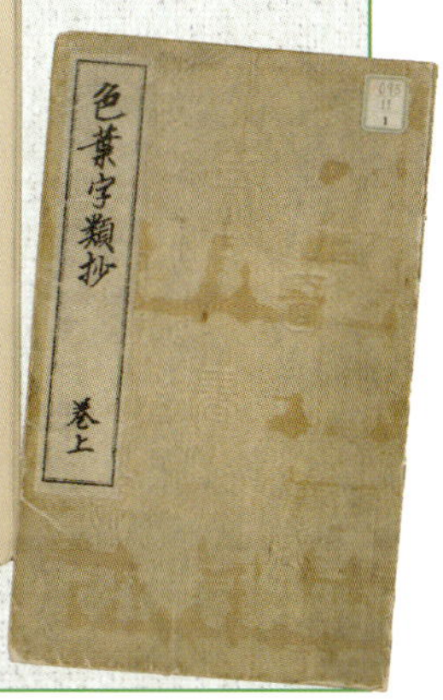

色葉字類抄
巻上

橘忠兼・育徳財団編『色葉字類抄：尊経閣叢刊丙寅本. 巻上』（育徳財団、1926年）（国立国会図書館所蔵）

P14の答え ①→④→②→③

4 国語辞典《じてん》でできること

国語辞典《じてん》は、言葉の意味がわからないときや、漢字の読み方やつかい方がわからないときに調べるための本です。でも、つかい方には、ほかにもいろいろあります。実際《じっさい》には、10～11ページのアンケート結果《けっか》にあらわれているように、あまり有効《ゆうこう》に活用されていません。「宝《たから》の持《も》ち腐《ぐさ》れ」です。

基本的《きほんてき》なつかい方

①言葉の意味がわからないとき。

例《れい》「宝《たから》の持《も》ち腐《ぐさ》れ」を引くと、「役に立つものを持っているのに、それをうまく使わないこと」と意味が書いてあります。

②言葉のつかい方がわからないとき。

例《れい》「なれる」を引くとそのつかい方の例《れい》と、説明《せつめい》が書いてあります。

③どの漢字をつかうか、わからないとき。

例《れい》 厚《あつ》い／暑《あつ》い／熱《あつ》いは下のように「使い分け」がのっています。

あつい【厚い】形 ❶物《もの》の表《おもて》と裏《うら》との間《あいだ》のはばがある。例厚い本《ほん》。❷心《こころ》がこもっている。例友情《ゆうじょう》に厚い。対（❶・❷）薄《うす》い。⇩こう【厚】365ページ

あつい【暑い】形 空気《くうき》の温度《おんど》が高《たか》い。例夏《なつ》は暑い。対寒《さむ》い。関連暖《あたた》かい。涼《すず》しい。寒《さむ》い。⇩しょ【暑】533ページ

あつい【熱い】形 ❶物《もの》の温度《おんど》が高《たか》い。例お湯《ゆ》が熱い。対冷《つめ》たい。関連温《あたた》かい。ぬるい。冷《つめ》たい。❷感動《かんどう》している。例胸《むね》が熱くなる。⇩ねつ【熱】867ページ

例解 使い分け

熱《あつ》いと暑《あつ》いと厚《あつ》い

お湯《ゆ》は熱《あつ》い。熱《あつ》いコーヒー。熱《あつ》い思《おも》い。

夏《なつ》は暑《あつ》い。暑《あつ》い部屋《へや》。

この本《ほん》は厚《あつ》い。厚《あつ》い壁《かべ》。厚《あつ》いもてなし。

『三省堂例解小学国語辞典第六版』（三省堂）

④漢字の送りがながわからないとき。

例《れい》「こまかい」を漢字でどう書けばいいかわからないとき、辞書《じしょ》を引けば「細かい」と書くことがわかります。

たから【宝】名 ❶世《よ》の中《なか》に少《すこ》ししかなく、貴《き》重《ちょう》なもの。金《きん》・銀《ぎん》・宝石《ほうせき》など。❷大切《たいせつ》な物《もの》や人《ひと》。例子《こ》どもは宝だ。⇩ほう【宝】1028ページ 宝《たから》の持《も》ち腐《ぐさ》れ 役《やく》に立《た》つものを持《も》っているのに、それをうまく使《つか》わないこと。

なれる【慣れる】動 ❶何回《なんかい》もやって、ふつうに感《かん》じるようになる。例仕事《しごと》に慣れる。❷くり返《かえ》しているうちにうまくなる。例自動車《じどうしゃ》の運転《うんてん》に慣れてきた。⇩かん【慣】231ページ

動詞《どうし》や形容詞《けいようし》など、言葉には、形が変《か》わるものがあるんだ。辞書《じしょ》を引くときは、右の例《れい》のようにその言葉の基本形《きほんけい》で引くよ。

歌う

歌わない
歌います
歌う
歌えば
歌おう
歌った

▼

「歌う」で引く

楽しい

楽しくなる
楽しい
楽しければ
楽しかった

▼

「楽しい」で引く

国語辞典《じてん》でも漢字がわかる

漢字を調べるには漢和辞典《じてん》（⇒P23）と思う人が多いのですが、小学生向けの国語辞典《じてん》では、1文字の漢字の場合は漢和辞典《じてん》と同じように引くことができます。ところがこのことは、意外と知られていません。そのため、右のような漢字をよりはやく引くためにつかう「画数順《じゅん》さくいん」などのページは、一度もつかったことがないという人も多いようです。

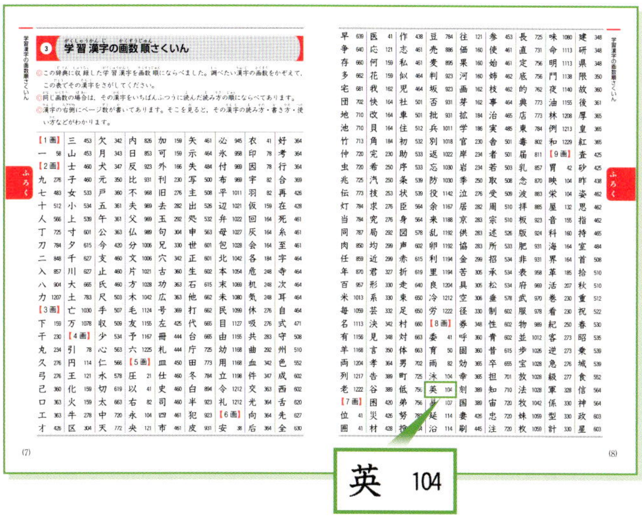
英　104

『三省堂例解小学国語辞典　第六版』（三省堂）

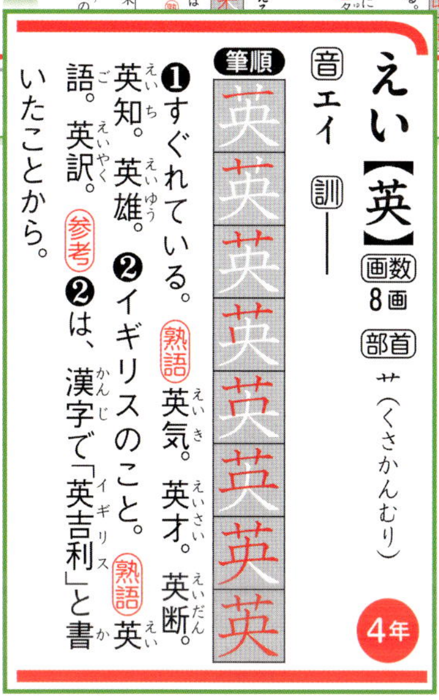
えい【英】画数8画 部首艹（くさかんむり） 4年
筆順
音エイ　訓―
❶すぐれている。熟語 英気《えいき》。英才《えいさい》。英断《えいだん》。英知《えいち》。英雄《えいゆう》。❷イギリスのこと。熟語 英《えい》語《ご》。英訳《えいやく》。参考 ❷は、漢字《かんじ》で「英吉利《イギリス》」と書《か》いたことから。

国語辞典《じてん》では
同じ読み方の漢字を
一度に調べることができるよ。
調べた漢字の近くに
のっている言葉も
いっしょに見てみよう。

5 国語辞典《じてん》のアクセント記号

国語辞典《じてん》にアクセント記号がしめされていることは、ほとんど知られていません。教育関係者《かんけいしゃ》や、本をつくっている出版関係者《しゅっぱんかんけいしゃ》のような辞書《じしょ》をよくつかう人にも、知られていないことなのです (⇒P11)。

表記されたアクセントに疑問《ぎもん》？

『三省堂例解小学国語辞典《さんせいどうれいかいしょうがくこくごじてん》　第五版《はん》』には、「あめ」「はし」「はじ」が、右のように書いてあります*。空からふってくる「あめ（雨）」は「あ」を高く発音し、おかしの「あめ（飴《あめ》）」は「め」を高く発音します。「箸《はし》」は「は」、「橋《はし》」と「端《はし》」は「し」の部分を高く発音するとしめしてあります。ところが、関西《かんさい》などの人たちは、「雨」は「あ」を高く発音しません。

また、アクセントはつぎにくる言葉にも影響《えいきょう》します。「はじ（恥《はじ》）」は、「じ」を高く発音しますが、「恥《はじ》をかく」というときの「恥《はじ》」は、「じ」のつぎの音を低《ひく》く発音します。そのことは記号「」」で記されています。

｜　アクセントを示《しめ》し、この部分《ぶぶん》を高《たか》く発音《はつおん》する。

」　アクセントを示《しめ》すが、次《つぎ》にくることばの最初《さいしょ》の音《おん》を低《ひく》く発音《はつおん》する。

* 2015年の改訂《かいてい》に際《さい》し、『三省堂例解小学国語辞典《さんせいどうれいかいしょうがくこくごじてん》　第六版《はん》』では、アクセント記号を記載《きさい》することをやめた。

「恥《はじ》をかく」と
「端《はじ》を描《か》く」では、
「を」の高さが違《ちが》うんだよ。
わかるかな？

あめ【△天】(名) 空《そら》。てん。⇩てん【天】

あめ【雨】(名) ①空気中《くうきちゅう》の水蒸気《すいじょうき》が、高《たか》い空《そら》で冷《ひ》やされて水《みず》のしずくになって落《お》ちてくるもの。②雨《あめ》の降《ふ》る日《ひ》。例 明日《あす》は雨だ。③続《つづ》けざまに降《ふ》りかかること。例 フラッシュの雨。参考 ほかのことばの前《まえ》につくと「雨水《あまみず》」のように「あま」、あとにつくと「春雨《はるさめ》」のように「さめ」と読《よ》むことがある。⇩う【雨】

雨降《あめふ》って地固《じかた》まる 〔雨《あめ》が降《ふ》ったあと、地面《じめん》が固《かた》くなるように〕もめごとなどがあったあと、かえって前《まえ》よりもよい状態《じょうたい》になること。

あめ【◆飴】(名) なめたりしゃぶったりして食《た》べるあまい菓子《かし》。例 あめ玉《だま》。水《みず》あめ。

はし【橋】(名) 川《かわ》や谷《たに》・道路《どうろ》などの両側《りょうがわ》にかけわたして、行《い》き来《き》できるようにするもの。例 橋をかける。⇩きょう【橋】

はし【◦端】(名) ①中心《ちゅうしん》からいちばん遠《とお》い部分《ぶぶん》。はじ。②一部分《いちぶぶん》。例 ことばの端をとらえる。③切《き》り捨《す》てたところ。例 木《き》の端。④〔「…するはしから」の形《かたち》で〕つぎつぎと。例 作《つく》るはしから食《た》べる。⇩たん【端】

はし【◦箸】 画数 15画 部首 ⺮（たけかんむり） 音 ―― 訓 はし

食《た》べ物《もの》をはさむのに使《つか》う二本《にほん》の細《ほそ》い棒《ぼう》。例 割《わ》り箸《ばし》。参考「箸《はし》」は「箸《はし》」と書《か》くことがある。

箸《はし》にも棒《ぼう》にもかからない まったくだめで、どうしようもない。

はじ【◦恥】(名) はずかしいこと。名誉《めいよ》を傷《きず》つけられること。例 恥をかく。⇩ち【恥】

はじ (名) ⇩はし（端）

『三省堂例解小学国語辞典　第五版』（三省堂）

アクセント辞典《じてん》

日本語には地方によってアクセントに違《ちが》いがあります。関東《かんとう》と関西《かんさい》ではアクセントが違《ちが》うことはよく知られています。現在《げんざい》は東京を中心とした地域《ちいき》のアクセントが「標準《ひょうじゅん》アクセント」とされています。そのアクセントを知るためにつくられているのが、「アクセント辞典《じてん》」です。

関西《かんさい》の人にとっては、
この記号は、いやかも
しれないね。じつは、
『三省堂例解小学国語辞典《さんせいどうれいかいしょうがくこくごじてん》
第六版《はん》』で、アクセント
記号をやめた背景《はいけい》には、
地方のアクセントと
合っていないことも
あったんだよ。

方言と辞書《じしょ》

関西《かんさい》の人のなかには、東京《とうきょう》を中心とした地域《ちいき》のアクセントしかのっていない辞書《じしょ》なんか、「あかん」という人がいるかもしれません。

今でこそ「あかん」が「だめ（駄目《だめ》）」という意味であることは、テレビなどを通じて全国《ぜんこく》的《てき》にも知られています。しかし、もし「あかん」の意味がわからないときに、国語辞典《じてん》を引いて、それがのっていないことがわかった場合、こんどは「あかん」を知らない人が、「そんな辞書《じしょ》は、だめだ」ということになるかもしれません。

日本列島は、言葉の観点《かんてん》からみると、とても多様で方言がたくさんありますが、小学生向けの辞書《じしょ》には、方言は、ほとんどのっていません（大人向けの大きな辞書《じしょ》には、のっているものもある）。

あかるむ【明るむ】 動 だんだんと明《あか》るくなる。例 東《ひがし》の空《そら》が明るむ。⇩めい【明】1113ページ

あかん？

あかんこ〔阿寒湖〕 地名 北海道《ほっかいどう》の東部《とうぶ》にある湖《みずうみ》。マリモで知《し》られる。

▶だめ【。駄目】 名 形動 ❶役《やく》に立《た》たないこと。むだであること。例 いくらたのんでもだめだ。❷してはいけないこと。例 行《い》ってはだめだよ。❸できないこと。例 ぼくは歌《うた》がだめだ。❹役《やく》に立《た》たないこと。例 靴《くつ》がだめになった。

『三省堂例解小学国語辞典　第六版』（三省堂）

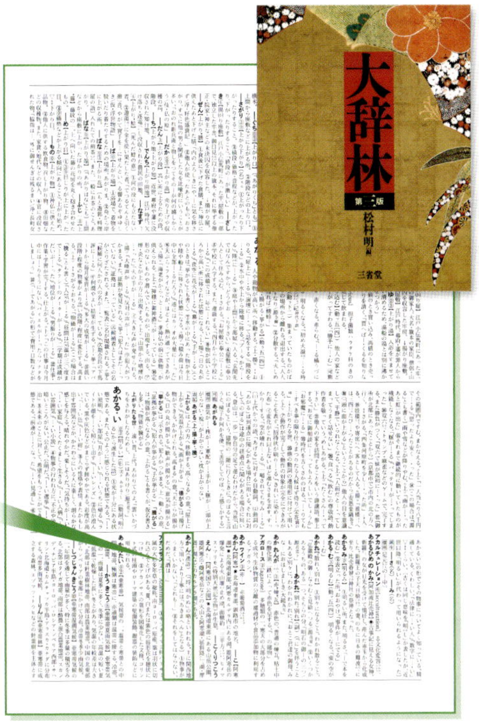

あかん（連語）〔「埒《ちら》明かぬ」の略といわれる。主に関西地方で用い、より丁寧には「あきまへん」となる〕①物事がうまくいかない。「どれも―」②それをしてはならない。だめだ。「酒は―」

『大辞林　第三版』（三省堂）

まめちしき

『広辞苑《こうじえん》』

1955年に岩波書店《いわなみしょてん》から刊行《かんこう》された新村出《しんむらいずる》（1876〜1967年）編《へん》の国語辞典《じてん》。見出し語には、古語・現代語《げんだいご》・専門《せんもん》用語・固有名詞《こゆうめいし》・ことわざなど24万語をのせている（第六版《はん》2008年刊《かん》）。

見出し語の仮名《かな》は、独自《どくじ》の表音仮名《ひょうおんかな》づかいだったが、第四版《はん》（1991年刊《かん》）で現代仮名《げんだいかな》づかいが採用《さいよう》された。また、活用語は文語形の見出しのほうで解説《かいせつ》されていたが、現代語《げんだいご》を引くのには不便《ふべん》なので、第三版《はん》（1983年刊《かん》）から口語形の見出しのほうで解説《かいせつ》するように改《あらた》められている。

意味の分析《ぶんせき》が詳《くわ》しくなり、意味がたくさんある語では、まず大きく意味をわけて、そのなかをさらにいくつかにわけて説明《せつめい》してある。

用例《ようれい》は古典《こてん》からの出典《しゅってん》つきが中心で、現代語《げんだいご》の用例《ようれい》はごく普通《ふつう》のつかい方の例《れい》が添《そ》えられている。人名・地名・書名なども多く、国語辞典《じてん》と百科事典《じてん》を1冊《さつ》にした辞書《じしょ》である。

新村出編『広辞苑　第六版』（岩波書店）

6 こんなときにはこんな辞書《じしょ》

ここまで小学生向けの国語辞典《じてん》について見てきました。小学生向けとはいえ、その内容《ないよう》は、大人が普通《ふつう》につかうのに充分《じゅうぶん》な場合もあります。それでも「方言」を調べるための「方言辞典《じてん》」があるように、調べる目的《もくてき》が定まっているときには、より適《てき》した辞書《じしょ》があります。

あらゆる分野の知識《ちしき》を調べたいなら

さまざまな分野の知識《ちしき》を知りたいときには百科事典《じてん》をつかいます。百科事典《じてん》には、生活に関《かん》することから、政治《せいじ》・社会・経済《けいざい》・科学・医学・日本史《にほんし》・世界史《せかいし》そのほか、ありとあらゆる分野の知識《ちしき》が盛《も》りこまれています。事柄《ことがら》だけではなく人名や地名、建造物《けんぞうぶつ》、書物や芸術《げいじゅつ》作品についても調べることができます。見出し語の配列は、五十音順《じゅん》に掲載《けいさい》されているので、もとめる見出しを探《さが》しだすのは難《むずか》しくありません。

見出しの立て方には、大きくわけて「大項目《だいこうもく》主義《しゅぎ》」のものと「小項目主義《しょうこうもくしゅぎ》」のものとがあります。「大項目主義《だいこうもくしゅぎ》」では、たとえば「平安《へいあん》文学」という項目《こうもく》で、『竹取物語《たけとりものがたり》』や『源氏物語《げんじものがたり》』、『枕草子《まくらのそうし》』などの作品やその作家などについての説明《せつめい》、平安《へいあん》時代の文学の全体の知識《ちしき》が盛《も》りこまれています。

一方、「小項目主義《しょうこうもくしゅぎ》」では、ひとつひとつの作品名にならんで紫式部《むらさきしきぶ》や清少納言《せいしょうなごん》などの項目《こうもく》も立てて説明《せつめい》してあります。

百科事典《じてん》はあつかう範囲《はんい》が広く、説明《せつめい》も詳《くわ》しいので、5巻《かん》にも10巻《かん》にもなるものもあります。

図書館の百科事典《じてん》のコーナーには、さまざまな事典《じてん》がならべられている。
(山梨県北杜市金田一春彦記念図書館)

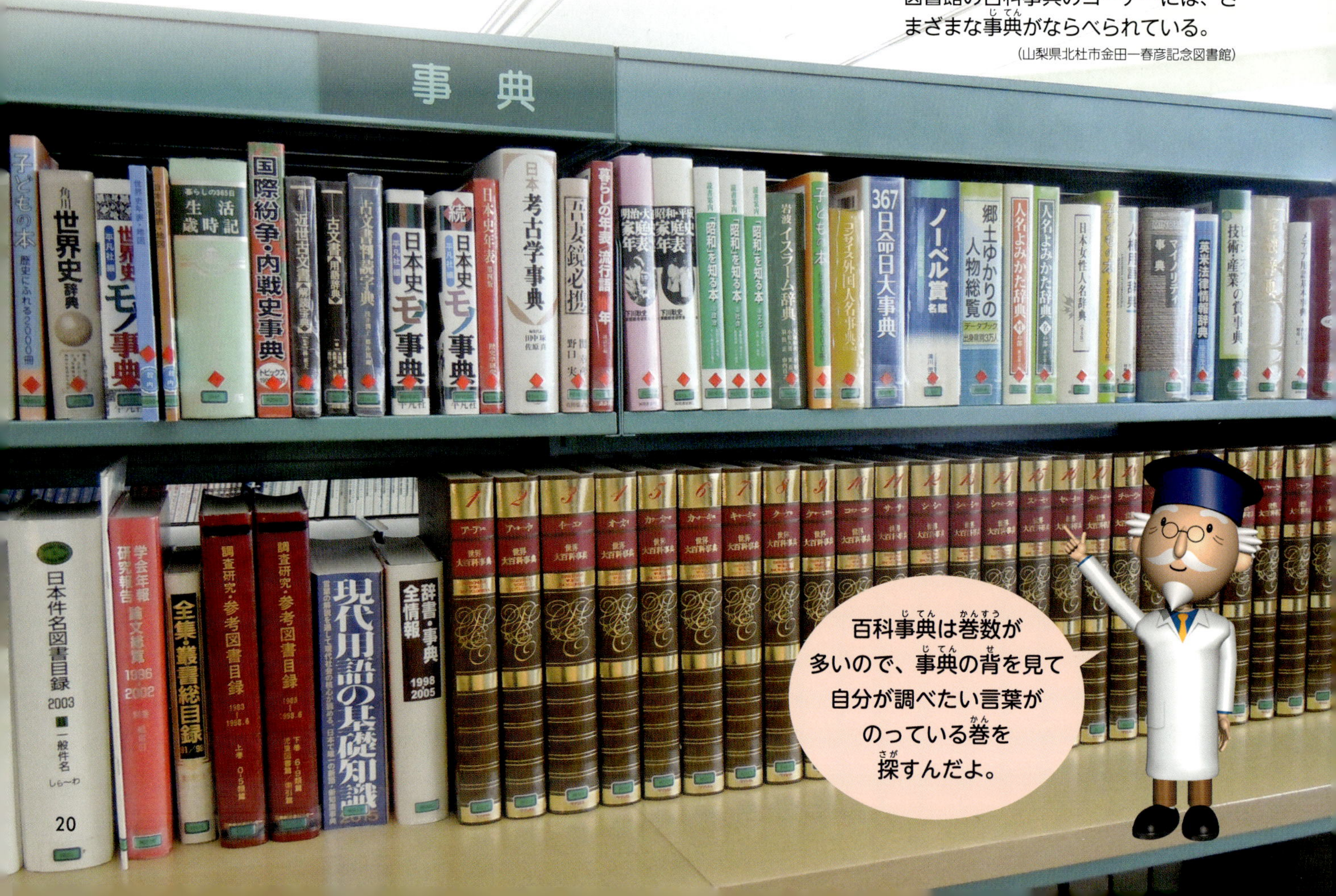
事 典
百科事典《じてん》は巻数《かんすう》が
多いので、事典《じてん》の背《せ》を見て
自分が調べたい言葉が
のっている巻《かん》を
探《さが》すんだよ。

「古語辞典《じてん》」と「新語辞典《じてん》」

日本語の歴史《れきし》は現代《げんだい》まで伝《つた》えられている文献《ぶんけん》で、1300年くらいまでさかのぼって確《たし》かめることができます。8世紀末《せいきまつ》ごろに完成《かんせい》した『万葉集《まんようしゅう》』や、11世紀《せいき》はじめに書かれたとされる『源氏物語《げんじものがたり》』などにつかわれている言葉は確《たし》かに日本語ですが、現代《げんだい》の日本語とはかなり違《ちが》います。言葉は時代とともに少しずつ変化《へんか》してきたのです。そこで必要《ひつよう》になったのが、古典文学《こてん》などでつかわれている言葉を現代人《げんだいじん》が理解《りかい》するための辞書《じしょ》である「古語辞典《じてん》」です。

現代《げんだい》では、さまざまな分野で新しい発見や発明があり、科学の進歩により新たな研究成果《せいか》が実用化されています。社会の制度《せいど》や生活様式にも変化《へんか》が生まれ、新しい言葉を生みだしました。外国からの知識《ちしき》や考え方も取りいれられ、外国語が外来語《がいらいご》という形で日本語に定着してきました。こうした新しい言葉を理解《りかい》するための辞書《じしょ》ももとめられて、「新語辞典《じてん》」や「外来語辞典《がいらいごじてん》」がつくられました。

現代《げんだい》らしい辞典《じてん》

外来語《がいらいご》とは外国語として日本語に入ってきて、日本語と同じようにつかわれるようになった言葉です。現代《げんだい》の日本語にはたくさんの外来《がいらい》語《ご》がつかわれています。それらを収録《しゅうろく》した辞書《じしょ》を「外来語辞典《がいらいごじてん》」とか「カタカナ語辞典《じてん》」とよんでいます。反対にすでにつかわれなくなった言葉を集めた辞典《じてん》を「死語辞典《じてん》」といいます。たとえば、かつてつかわれていた金《かな》だらい・唐《から》傘《かさ》・焜炉《こんろ》などの生活用具、あるいは社会制度《せいど》やくらし方が変《か》わったためにつかわれなくなった高等小学校・国民学校・たけのこ生活などの言葉を説明《せつめい》した辞典《じてん》があります。

一方、「若者《わかもの》言葉」などといわれている、若《わか》い人が親しい仲間《なかま》のあいだでつかう言葉を集めたユニークな辞典《じてん》もあります。仲間《なかま》のあいだだけでわかりあえる言葉なので、若者《わかもの》の集団《しゅうだん》に属《ぞく》していない者にはよくわかりません。数多くの若者《わかもの》言葉・キャンパス言葉・ギャル言葉を集め、会話の例《れい》を添《そ》えて説明《せつめい》した辞典《じてん》です。

いを【魚】名
❶さかな。
例「鴫《しぎ》の大きさなる、水の上《うへ》に遊びつつ魚を食ふ」〈伊勢・九〉 訳 鴫の大きさである鳥が、水の上を動き回りながら魚を食っている。

いん【院】→ゐん P1016

いん【因】名
❶直接の原因。↕くゎ(果) →えん(縁) P153
例「つひに讃仏乗《さんぶつじょう》の因となるこそあはれなれ」〈平家・敦盛最期〉 訳 (敦盛《あつもり》の笛が、熊谷直実《くまがいなおざね》を)ついに仏道をほめたたえる〔=出家させる〕直接の原因となったのはしみじみ感動することだ。

いん-が【因果】→いんぐゎ P110

いん-きょ【隠居】名 動 サ変
❶俗世を捨て山野に住むこと。またその人。
例「世路に廻《めぐ》ると云へども、只《ただ》隠居を好む心のみ有り」〈今昔・一三〉 訳 俗世間とかかわってはいるが、ただ俗世を捨て山野に住むことだけを好んだ。
❷隠居。家督《かとく》を跡継ぎに譲った、もと主人。
例「よくよく見れば、隠居の尋ねらるる年玉銀《がね》に紛《まぎ》れなし」〈世間胸算用〉 訳 よくよく見ると、隠居が捜しておられるお年玉の銀貨に間違いない。
❸隠居所。
例「同じ屋敷の裏に、隠居建てて」〈世間胸算用〉 訳 同じ屋敷(内の母屋《おもや》)の奥に、隠居所を建てて。

いん-ぐゎ【因果】名
❶原因と結果。仏教語で、よい行いをすればよい結果となり、悪い行いをすれば悪い報いがある。
例「仏法を悟り因果を知りて浄土《じょうど》に往生《おうじょう》する者多かりけり」〈今昔・四〉 訳 仏法を悟り因果を知って極楽に成仏《じょうぶつ》する者が多かったそうだ。
❷不運。前世の悪業《あくごう》の報いとしての不幸。
例「因果と若死にしけるに」〈世間胸算用〉 訳 不運にも若死にをしたが。

いん-し【隠士】名
❶世捨て人。世俗を避けて生活している人。「いんじ」とも。
例「ここに等栽《とうさい》といふ、古き隠士あり」〈おくのほそ道・福井〉 訳 ここ(福井)には、等栽という年老いた世捨て人が住んでいる。

いん-じ【往んじ・去んじ】連体
❶過ぎ去った。去る。〔「いにし」に同じ〕
例「去んじ安元《あんげん》三年四月《うづき》二十八日かとよ」〈方丈記〉 訳 去る安元三年四月二十八日であったかと思うよ。

いん-ろう【印籠】名
❶腰に下げる三重または五重の小箱。両側に紐《ひも》を通し、紐の先につけた根付《ねつけ》を帯に挟む。もとは印や印肉を入れたが、江戸時代には薬を入れるようになる。

う【卯】名
❶十二支の四番目。「兎《うさぎ》」にあてる。
❷時刻の名。午前六時、あるいは、その前後の二時間〔=午前五時から午前七時まで〕。また、午前六時からの二時間とする説もある。
例「卯の時ばかりに、船出《いだ》す」〈土佐・一月二日〉 訳 卯の刻〔=午前六時〕ころに船を出す。
❸方角の名。東。

う【得】動 ア下二
❶手に入れる。自分のものにする。
例「世界の男《をのこ》、貴《あて》なるも賤《いや》しきも、いかでこのかぐや姫を得《え》てしがな、見てしがなと、音《おと》に聞きめでて惑《まど》ふ」〈竹取・貴公子たちの求婚〉 訳 世の中の男は、身分の高い者も低い者も、「どうにかしてこのかぐや姫を手に入れたいものだなあ、妻にしたいものだなあ」と、うわさを聞き慕《した》って心を乱す。
❷得意とする。
例「これかれ得《え》たる所、得《え》ぬ所、互《たがひ》になむある」〈古今・仮名序〉 訳 どの人も得意としている点、得意としない点が、それぞれにある。
❸理解する。さとる。
例「わづかに見つつ、心も得《え》ず心もとなく思ふ源氏を」〈更級日記〉 訳 (これまでは)ちらちらと読むだけで、(話の筋も)じゅうぶん理解せず、じれったく思っていた『源氏物語』を。
❹(「…こと(を)得《う》」の形や補助動詞として)…することができる。可能とする。
例「竜《たつ》の頸《くび》の玉取り得《え》では、帰《かへ》り来《く》な」〈竹取・竜の頸の玉〉 訳 竜の首の玉を取ることができな

110

鈴木一雄編『全訳基本古語辞典　第三版』(三省堂)

カ

カー[1] [car＜ラ carrus (荷馬車)] 車, 車両, 電車, 特に自動車.〈昭〉

カー[2] [古エジプト kar] 古代エジプトの信仰で, 霊魂.〈現〉 ★死はカーが肉体を遊離することだとされ, 肉体をミイラとして保存する風習が始まった.

ガー [gar] ⇨ガーパイク.

カー-アクセサリー [car accessories] 自動車用の装飾用付属品, 実用小物類.〈現〉

カイ [chi] ギリシア文字キーの英語読み. ⇨キー.

ガイ [guy]「男, 若者, 青年, やつ」の意味で複合語をつくる.〈現〉 ⇨タフ-ガイ, ナイス-ガイ, マイト-ガイ. ★1605年, イギリスで議事堂を爆破, 国王を暗殺しようとした男, ガイ-フォークス [Guy Fawkes 1570-1606] から. それ以来彼になぞらえた奇妙な人形を焼く風習(ガイ-フォークス-デー)が起こり, 奇妙な風采の男をガイと呼ぶようになった. それが米国ではただの男をさすように変わった. 日本では昭和34年(1959)ごろの流行語. 日活映画から.

ガイア [ギ Gaia] ①ギリシア神話で, 原初の大地女神. 混沌(カオス)から生まれ, ウラノス(天)を生み, その妻となった. ゲーとも.〈明〉 ②巨大な生態系としての, 地球をいう語.〈現〉

ガイア仮説 [Gaia *hypothesis*] 地球の生物と無生物, すなわち大気圏・海水圏・岩水圏・生物圏が一つの大きな恒常的システムを形作っているとするエコロジーの仮説. J.E.ラブロックが提唱した.〈現〉

ガイアナ [Guyana＜アーイ (水の国)] 南米大陸北東岸にある国. ガイアナ協同共和国 [Co-operative Republic of Guyana]. 首都ジョージタウン. 1966年英連邦の1員として独立. 旧名ギアナ. ★公用語は英語, 他にヒンディー語. 通貨単位はガイアナ-ドル.

カイエ [フ cahier] ノートブック. 筆記帳.〈現〉

カイエン-ペッパー [cayenne
の1. 辛味の強い香辛料.〈

カイオワ族 [Kiowa―] アメ
族. 米国南西部の平原に
たインディアン.〈現〉

ガイガー計数管 [Geiger c
ラーカウンター.

カイカイデー [中 kuàikuài
みやか・迅速なさま.〈大〉

ガイガー-カウンター ⇨ガイガ

ガイガー-ミュラー-カウンター [Geiger-Müller counter] ガイガー計数管. 放射能の強弱をはかる装置. ガイガー-カウンターとも.〈現〉 ★1928年, ドイツの物理学者ガイガーとミュラーが考案.

カイザー ⇨カイゼル.

カイザーシュニット [ド Kaiserschnitt]〖医〗帝王切開. 単にカイザーとも.〈現〉 ★ラテン語の [sectio caesarea(＜caedo (切る)] をカエサル(帝王)と訳し間違えたことから.

カイザーゼンメル [ド Kaisersemmel] 小型の丸いパン. 表面に星形の切り込みがあり, ケシの実やゴマがのっている.〈現〉

ガイザライト [geyserite] 珪華《けいか》. 間欠石. 間欠泉や温泉の流出口に生じる沈殿物で, 多くは蛋白《たんぱく》石.〈現〉

カイザル ⇨カイゼル.

ガイスト [ド Geist] 精神, 霊魂.〈大〉 ★英語の [ghost (亡霊)] と同源.

ガイスベック症候群 [Gaisböck *syndrome*] ストレス赤血球増加症. ドイツの医師 [Felix Gaisböck, 1868-1955] が1905年に報告したことから.〈現〉 ⇨ストレス赤血球増加症.

ガイスラー管 [Geissler tube] 放電管の1. 気体のスペクトル研究用あるいは真空度を計る真空技術

三省堂編修所『コンサイスカタカナ語辞典　第4版』(三省堂)

いろいろな役立つ辞典《じてん》

●ことわざ辞典《じてん》（事典《じてん》）

「急がば回れ」「猿《さる》も木から落ちる」「情《なさ》けは人のためならず」などのことわざを集めて説明《せつめい》した辞典《じてん》。

時田昌瑞著『図説ことわざ事典』（東京書籍）

●四字熟語辞典《よじじゅくごじてん》

熟語《じゅくご》の多くは漢字2字でできているが、漢字4字で組みたてられている熟語《じゅくご》を四字熟語《よじじゅくご》という。「異口同音《いくどうおん》」「支離滅裂《しりめつれつ》」「前代未聞《ぜんだいみもん》」「天下泰平《てんかたいへい》」などの熟語《じゅくご》を集めて説明《せつめい》した辞典《じてん》。

●語源辞典《ごげんじてん》

「語源《ごげん》」とは「ことばのみなもと」。ひとつひとつの単語《たんご》がどのようにしてできたのか、もともとはどういう意味の言葉だったのか、どのように変化《へんか》したのかなど、ごく普通《ふつう》につかわれる言葉の由来を説明《せつめい》した辞典《じてん》。

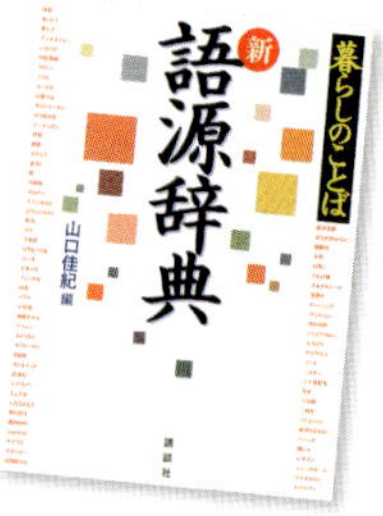

山口佳紀編『暮らしのことば　新語源辞典』（講談社）

●擬音語《ぎおんご》・擬態語辞典《ぎたいごじてん》

「電子レンジでチンする」などという、「チン」や、「がたんごとん」「きんこん」「ざあざあ」「どすん」など、音を表現《ひょうげん》する語を、「擬音語《ぎおんご》」という。これに対し、「すたすた」「のろのろ」「ぶらぶら」など、状態《じょうたい》を表現《ひょうげん》する語を「擬態語《ぎたいご》」という。「ばらばら」のように擬音語《ぎおんご》にも擬態《ぎたい》語《ご》にもつかえる言葉もある。「はらはら」「いらいら」など気持ちをあらわす語を「擬情語《ぎじょうご》」ということもある。「擬音語《ぎおんご》」や「擬態語《ぎたいご》」がたくさんあることが日本語の特徴《とくちょう》のひとつとされている。これらを集めて説明《せつめい》した辞典《じてん》。

山口仲美編『擬音語・擬態語辞典』（講談社）

●類義語《るいぎご》使い分け辞典《じてん》

「多い」「たくさん」「豊《ゆた》か」あるいは「おりる」「さがる」「くだる」「おちる」などや、ぎゃくに「あがる」「のぼる」のように、似《に》た意味の言葉がある。これらを「類《るい》義語《ぎご》」という。意味は似《に》ていても、つかい方が少しずつ違《ちが》うので、どのようにつかいわければいいかということを、説明《せつめい》した辞典《じてん》。

田忠魁・泉原省二・金相順編著『類義語使い分け辞典』（研究社）

●反対語対照語辞典《たいしょうごじてん》

「みぎ」と「ひだり」、「おもて」と「うら」、「のぼり」と「くだり」、「うく」と「しずむ」などは、たがいに反対の意味をあらわす。これを「反対語」という。また、「きょう」に対して「きのう」と「あした」という対応《たいおう》があるが、これらは反対というよりは、「きのう・きょう・あした」というセットになっている。このような語を集めてどういう対応《たいおう》があるかなどを説明《せつめい》した辞典《じてん》。

北原保雄・東郷吉男編『反対語対照語辞典　新装版』（東京堂出版）

●逆《ぎゃく》引き辞典《じてん》

国語辞典《じてん》は、見出し語が五十音順《じゅん》に配列されているが、「逆《ぎゃく》引き辞典《じてん》」は見出し語の最後《さいご》の音《おん》から逆《ぎゃく》に考えて、「さくら」は「ら」の部に、「サクラメント」は「と」の部に、「さくらんぼ」は「ほ」の部に配列したもの。また、「～やか」のところには、「おだやか」「なごやか」「はなやか」といった語がならんでいる。

●表記辞典《じてん》

日本語は漢字と仮名《かな》をつかって書きあらわす。その書きあらわし方には、「現代仮名《げんだいかな》づかい」「常用《じょうよう》漢字表」「送りがなのつけ方」という3つの約束《やくそく》がある。その約束《やくそく》にしたがった書きあらわし方を知ることを目的《もくてき》としたのが、表記辞《じ》典《てん》。「用字辞典《じてん》」「表記の手引き」などという書名のものもある。

7 見なおそう！ 漢和辞典《じてん》

現代《げんだい》の漢和辞典《じてん》は、漢字や漢字の熟語《じゅくご》（漢語）の読み方や意味を調べるための辞書《じしょ》です。「漢字辞典《じてん》」「漢語辞典《じてん》」などという書名のものもあります。

部首《ぶしゅ》さくいん・総画《そうかく》さくいん・音訓《おんくん》さくいん

国語辞典《じてん》は読み方がわからないと引けませんが、漢和辞典《じてん》は、漢字の形から引く（字形引き・部首《ぶしゅ》引き）ことができるという特徴《とくちょう》があります。もともと漢文を理解《りかい》するためにつくられたのですが、現在《げんざい》では、多くの場合、漢字の形から引く国語辞典《じてん》のようにつかわれています。漢和辞《じ》典《てん》で漢字を探《さが》すときには、まずどの「部首《ぶしゅ》」の漢字かを考えます。部首《ぶしゅ》は「亻（にんべん）」「宀（うかんむり）」「广（まだれ）」「彳（ぎょうにんべん）」「扌（てへん）」「氵（さんずい）」「艹（くさかんむり）」などたくさんあります。どれも漢字の特徴的《とくちょうてき》な部分です。

部首《ぶしゅ》のわかりにくい漢字もあります。わからないときは、漢和辞典《じてん》には「総画《そうかく》さくいん」と「音訓《おんくん》さくいん」がついていますから、それをつかいます。「総画《そうかく》さくいん」は、探《さが》したい漢字の画数を数えて、その画数一覧《いちらん》のなかから探《さが》します。また、読み方がわかっている場合には「音訓《おんくん》さくいん」をつかいます。

「絵」を調べる！

●部首《ぶしゅ》さくいん

「絵」の部首《ぶしゅ》は、「糸」。この部首《ぶしゅ》から、漢字を調べることができる。

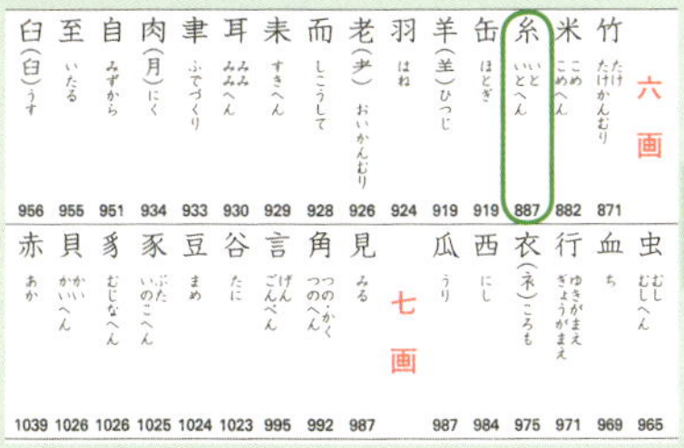
六画
竹 たけ たけかんむり 871
米 こめ こめへん 882
糸 いと いとへん 887
缶 ほとぎ 919
羊（⺶）ひつじ 919
羽 はね 924
老（耂）おいかんむり 926
而 しこうして 928
耒 すきへん 929
耳 みみ みみへん 930
聿 ふでづくり 933
肉（月）にく 934
自 みずから 951
至 いたる 955
臼（臼）うす 956
虫 むし むしへん 965
血 ち 969
行 ゆきがまえ ぎょうがまえ 971
衣（衤）ころも 975
西 にし 984
瓜 うり 987
七画
見 みる 987
角 つの・かく つのへん 992
言 げん ごんべん 995
谷 たに 1023
豆 まめ 1024
豕 ぶた いのこへん 1025
豸 むじなへん 1026
貝 かい かいへん 1026
赤 あか 1039

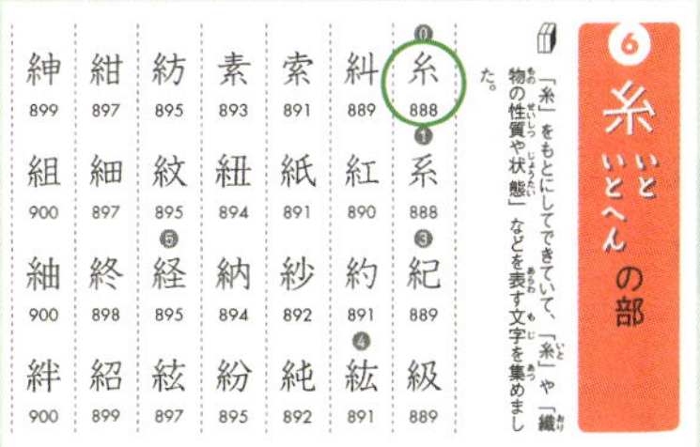
6 糸 いと いとへん の部
「糸」をもとにしてできていて、「糸《いと》」や「織《おり》物《もの》の性質《せいしつ》や状態《じょうたい》」などを表《あらわ》す文字《もじ》を集《あつ》めました。
0 糸 888　1 系 888　3 紀 889　級 889
糾 889　紅 890　約 891　4 紘 891
索 891　紙 891　紗 892　純 892
素 893　紐 894　納 894　紛 895
紡 895　紋 895　5 経 895　絃 897
紺 897　細 897　終 898　紹 899
紳 899　組 900　紬 900　絆 900

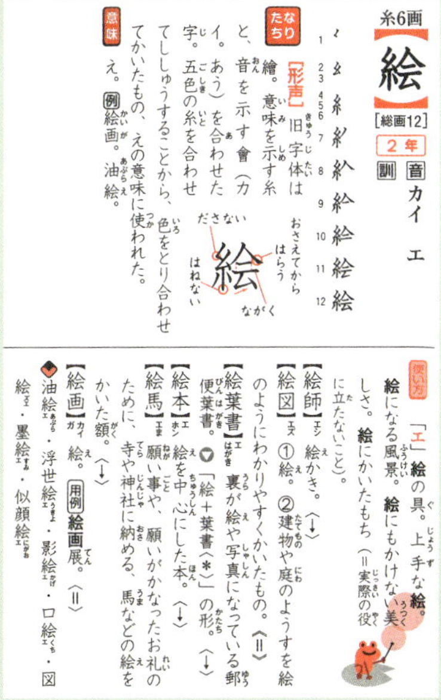
糸6画
絵
[総画12]
2年
音 カイ エ
訓
たなちり 【形声】旧字体《きゅうじたい》は繪。意味《いみ》を示《しめ》す糸と、音《おん》を示す會（カイ。あう）を合《あ》わせた字《じ》。五色《ごしき》の糸《いと》を合わせてししゅうすることから、色《いろ》をとり合わせてかいたもの、えの意味に使《つか》われた。
ださない　おさえてから はらう　はねない　ながく
意味 え。例 絵画《かいが》。油絵《あぶらえ》。
使い方 「エ」絵の具《ぐ》。上手《じょうず》な絵。絵になる風景《ふうけい》。絵にもかけない美《うつく》しさ。絵にかいたもち（＝実際《じっさい》の役《やく》に立《た》たないこと）。
【絵師《エシ》】絵《え》かき。〈↓〉
【絵図《エズ》】①絵《え》。②建物《たてもの》や庭《にわ》のようすを絵のようにわかりやすくかいたもの。〈＝〉
【絵葉書《エはがき》】裏《うら》が絵《え》や写真《しゃしん》になっている郵《ゆう》便葉書《びんはがき》。▽「絵＋葉書（＊）」の形《かたち》。〈↓〉
【絵本《エホン》】絵《え》を中心《ちゅうしん》にした本《ほん》。〈↓〉
【絵馬《エま》】願《ねが》い事《ごと》や、願いがかなったお礼《れい》のために、寺《てら》や神社《じんじゃ》に納《おさ》める、馬《うま》などの絵《え》をかいた額《がく》。〈↓〉
【絵画《カイガ》】絵《え》。用例 絵画展《てん》。〈＝〉
◆油絵《あぶらエ》・浮世絵《うきよエ》・影絵《かげエ》・口絵《くちエ》・図絵《ズエ》・墨絵《すみエ》・似顔絵《にがおエ》

●音訓《おんくん》さくいん

「絵」の読み方の「エ」または「カイ」がわかるときは、読み方から漢字を調べることができる。

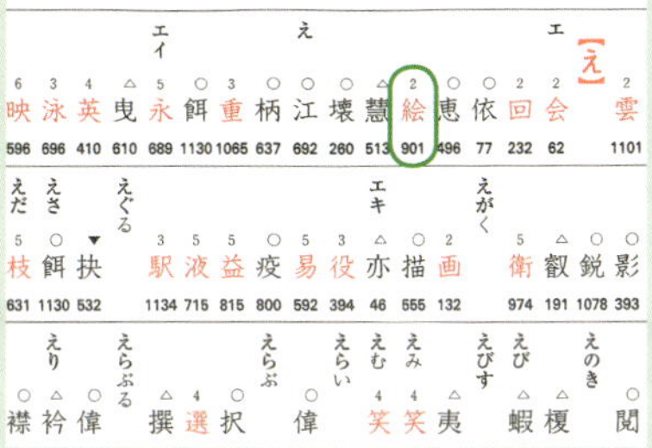
雲 1101
【え】
エ 会 62　回 232　依 77　恵 496　絵 901　慧 513　壊 260
え 江 692　柄 637　重 1065　餌 1130
エイ 永 689　曳 610　英 410　泳 696　映 596　影 393　鋭 1078　叡 191　衛 974
えがく 画 132　描 555
エキ 亦 46　役 394　易 592　疫 800　益 815　液 715　駅 1134
えぐる 抉 532
えさ 餌 1130
えだ 枝 631
閲
えのき 榎
えび 蝦
えびす 夷
えみ 笑
えむ 笑
えらい 偉
えらぶ 択　選　撰
えらぶる 偉
えり 衿　襟

●総画《そうかく》さくいん

部首《ぶしゅ》も読み方もわからないときは、この漢字の総画数《そうかくすう》から調べることができる。

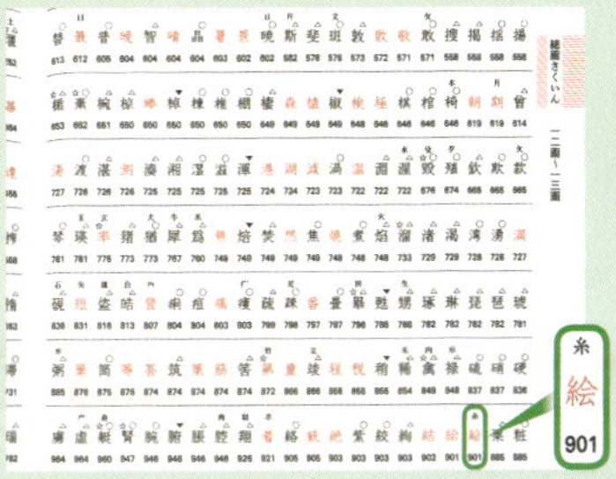
糸 絵 901

尾上兼英監修『旺文社小学漢字新辞典　第四版』（旺文社）

文化のかけはし「二言語辞書《じしょ》」

「英和辞典《えいわじてん》」は、英語《えいご》の意味を日本語で説明《せつめい》した辞書《じしょ》です。「和英辞典《わえいじてん》」はその反対で、日本語の意味を英語《えいご》で説明《せつめい》した辞書《じしょ》です。このように、2種類《しゅるい》の言語の橋渡《はしわた》しをする辞書《じしょ》を「二言語辞書《じしょ》」といいます。

外国語を日本語にする

外国語の文章を読むときに、わからない言葉に出会ったら、外国語と日本語の二言語辞書《じしょ》で調べます。英語《えいご》の場合は英和辞典《えいわじてん》、フランス語の場合は仏和辞典《ふつわじてん》、ドイツ語の場合は独和辞典《どくわじてん》をつかいます。ほかの言語でも同様です。中国語の場合は、中国の古典《こてん》の文章ならば漢和辞《じ》典《てん》、現代《げんだい》中国語ならば中日辞典《じてん》をつかいます。そのほか、ロシア語・スペイン語・イタリア語・韓国語《かんこくご》・ラテン語・オランダ語・チェコ語・ハンガリー語・デンマーク語・スロベニア語・ルーマニア語・スウェーデン語・ノルウェー語・ブルガリア語・ギリシャ語・トルコ語・ポーランド語・タイ語・ベトナム語・エスペラント語のほか、さまざまな言語の辞書《じしょ》が出版《しゅっぱん》されています。このことは、日本が世界じゅうの国ぐにと交流をしている証《あかし》です。

辞書《じしょ》によって、つかわれている記号はさまざまだよ。調べる前につかい方のページを読んで確認《かくにん》するのがいいね。

英和辞典《えいわじてん》は、見出し語がアルファベット順《じゅん》にならんでいる。単語《たんご》の意味のほかに、発音記号や品《ひん》詞《し》、熟語《じゅくご》などが掲載《けいさい》されている。

数えられる意味の名詞《めいし》にはⒸ、数えられない意味の名《めい》詞《し》にはⓊとしめされている。

「語の結《むす》びつき」では、重要《じゅうよう》な語と動詞《どうし》の結《むす》びつきがしめされている。

clasp　ABCDEFGHIJKLMNOPQRSTUVWXYZ

clasp /klæsp クラスプ/ 動 他 ❶ⓐ…をしっかりと握る. ⓑ…を抱きしめる.
❷(留め金で)…を留める.
— 名Ⓒ❶留め金.
❷握り[抱き]しめること.
▸動 他 ❶ⓐHe *clasped* his hands. 彼は(指をくみ合わせ)両手を握りしめた.

class /klæs クラス | klɑ́:s/ 名 (複 ~·es /-iz/) ❶Ⓒ**クラス**, **学級**, 組; クラスの生徒たち.
❷Ⓒ**授業**, 講習.
❸Ⓒ(社会の)**階級**, 階層.
❹Ⓒ**等級**; 種類.
❺Ⓒ《米》《集合的に》同期生.
❻Ⓤ高級; 上品さ, 気品.
❼Ⓒ〔生物〕(分類学上の)綱(こう).
— 動 他 ❶…を分類する.
❷…の等級を決める.

名 ❶The tenth grade has five *classes*. (高校)1年生は5組まである / We are in the same *class*. 私たちは同級生だ / I am in *class* C of the tenth grade. 私は(高校)1年C組です.
❷The chemistry *class* begins at nine. 化学の授業は9時に始まります / How many *classes* do you have on Wednesdays? 水曜日には授業はなん時間ありますか.
語の結びつき
attend [go to] a *class* 授業に出る[出席する]
cut [skip] a *class* 授業をさぼる
give a *class* (先生が)授業をする
have a *class* 授業をする; 授業を受ける
miss a *class* 授業に出そこなう
take a *class* 授業を受ける
teach a *class* 授業をする
❸the upper 〔middle / lower〕 *class(es)* 上流〔中流/下層〕階級 / the working *class* 労働者階級 / a *class* struggle 階級闘争.
❹Their performance was (of the) first *class*. 彼らの演奏は一級のものだった / travel first *class* ファーストクラスで旅行する.
❺the *class* of 1983 1983年卒業の同期生.
❻She's got *class*. 彼女には品がある.
be in a class of ...'s own 他に類を見ない, 大変優れている.
in class **授業中に[で]**: The students are *in class* now. 生徒は今授業中だ.
☞ 動classify.
— 動 他 ❶He is *classed* with the best players. 彼は最優秀選手の中に入れられている.

*clas·sic /klǽsik クラスィック/ 形 ❶**永続的な価値のある**, 最高級の.
❷**伝統的な**, 古典的な.
❸代表的な, 典型的な.
— 名(複 ~s /-s/)Ⓒ**古典**, 一流の作品.
▸形 ❶*classic* works of art 世に認められている芸術品. ❷a dress of *classic* style 伝統的なスタイルの服. ❸a *classic* example 典型的な例.
— 名Shakespeare's works are *classics*. シェイクスピアの作品は古典である.

*clas·si·cal /klǽsikəl クラスィカル/ 形 (more ~; most ~)
❶**伝統的な**; 古典的な.
❷古典派の.
❸(ギリシア・ローマの)古典の.
▸❶*classical* Japanese dancing 伝統的日本舞踊. ❷*classical* music (ポピュラーやジャズなどに対して)クラシック音楽 《✪classic music とはいわない》.
❸the *classical* languages 古典語 《ギリシア語とラテン語》.
☞ 名classic.

clas·si·fi·ca·tion /klæ̀səfikéiʃən クラスィフィケイション/ 名(複 ~s /-z/)Ⓤ Ⓒ分類.
☞ 動classify.

clas·si·fied /klǽsəfàid クラスィファイド/ 形 ❶分類された. ❷(書類などが)機密の.
▸❶the *classified* advertisements [ads] 項目別広告《新聞などで求人・貸家・譲渡などを項目別に分けて出す広告; ☞ want ad》.

clas·si·fy /klǽsəfài クラスィファイ/ 動 (-si·fies /-z/; -si·fied /-d/; ~·ing) 他
❶…を分類する.
❷(書類など)を機密扱いにする.
▸❶These books are *classified* by [according to] authors. これらの本は作家別に分類されている.
☞ 名class, classification.

208　two hundred and eight

abcdefghijklmnopqrstuvwxyz　clean

class·less /klǽsləs クラスレス/ 形 ❶階級[差別]のない. ❷どの階級にも属さない.

*class·mate /klǽsmèit クラスメイト | klɑ́:s-/ 名(複 ~s /-ts/)Ⓒ**同級生**, 級友.

class·room /klǽsrù(:)m クラスル(ー)ム | klɑ́:s-/ 名 (複 ~s /-z/) Ⓒ**教室**, クラスルーム《☞下のさし絵》.

class·y /klǽsi クラスィ/ 形 (class·i·er; class·i·est)《口語》おしゃれな, 高級な.

clat·ter /klǽtər クラタ/ 名Ⓤ Ⓒガチャガチャ[ガタガタ]という音.
— 動 自 ガチャガチャ[ガタガタ]音がする. — 他 …をガチャガチャ[ガタガタ]鳴らす.

clause /klɔ́:z クローズ/ 名(複 ~·es /-iz/) Ⓒ ❶〔文法〕**節**《「主語+(述語)動詞」の構造を備えている語群; ☞ phrase》.
❷(法律・条約などの)条項.
▸❶noun 〔adjective/adverb〕 *clause* 名詞〔形容詞/副詞〕節.

claw /klɔ́: クロー/ 名(複 ~s /-z/)Ⓒ ⓐ(鳥・ネコなどのまがって鋭い)かぎづめ《☞ nail, talon》. ⓑ(カニなどの)はさみ.
— 動 他 (つめで)…をひっかく[裂(さ)く].

*clay /kléi クレイ/ 名Ⓤ**粘土**; 土.

clean /klí:n クリーン/ 形 (~·er; ~·est) ❶ⓐ**清潔な**, **汚れていない**, きれいな (反dirty).
ⓑ新しい, まだ使っていない.
❷ⓐ**清らかな**, 汚(けが)れのない; (過去において)罪など犯してない.
ⓑ(ことばなどが)下品でない.
❸(スポーツで)ルールを守った, 反則のない.
❹きれい好きな, 身ぎれいな.
❺すっきりした, 格好のよい.
❻みごとな, あざやかな; 完全な.
— 副 (~·er; ~·est)《口語》**すっかり**, 完全に; あざやかに.
— 動 (~s /-z/; ~ed /-d/, ~·ing) 他
❶…を**きれいにする**, そうじする.
❷(料理の前に)(魚・鳥など)の臓物をとる.
— 自 ❶(物が)きれいになる.
❷そうじする.

形 ❶ⓐHis clothes are always *clean*. 彼の服装はいつも清潔だ / Keep yourself *clean*. 身なりを清潔にしておきなさい / *clean* water きれいな水. ⓑa *clean* piece of paper まっ新しい紙.
❷ⓐa *clean* driver's license 違反のない運転免許証 / She has a *clean* record. 彼女の履歴には前科がない. ⓑa *clean* joke 下品でない冗談.
❸a *clean* game (反則のない)フェアな試合.
❺a *clean* figure すらりとした姿 / a *clean* shape すっきりした形.
❻a *clean* hit 〔野球〕クリーンヒット.
come clean 《口語》(隠していたことを)す

(1) blackboard 黒板
(2) map 地図
(3) eraser 黒板ふき
(4) teacher 先生
(5) chalk チョーク
(6) calendar カレンダー
(7) desk 机
(8) pupil 生徒
(9) chair いす
(10) pencil case 鉛筆入れ
(11) eraser 消しゴム
(12) pencil 鉛筆
(13) fountain pen 万年筆
(14) compass コンパス
(15) ruler 定規
(16) textbook 教科書

classroom

two hundred and nine　209

KENKYUSHA
NEW SCHOOL
ENGLISH-JAPANESE DICTIONARY
ニュースクール英和辞典
2nd edition 第二版
トコトン見やすく、わかりやすい!
英語が楽しくなる辞典!
全面改訂 第2版
2色刷

廣瀬和清・伊部哲編『ニュースクール英和辞典　第2版』(研究社)

日本語を外国語にする

日本語の文章を外国語に翻訳《ほんやく》するときには、日本語と翻訳《ほんやく》する外国語との二言語辞書《じしょ》で調べます。英語《えいご》にする場合は和英辞典《わえいじてん》、フランス語にする場合は和仏辞典《わふつじてん》、ドイツ語にする場合は和独辞典《わどくじてん》をつかいます。ほかの言語でも同様で、ロシア語・スペイン語・ポルトガル語・イタリア語・中国語・韓国語《かんこくご》・フィンランド語・カタルーニャ語・アラビア語・タイ語・インドネシア語・ネパール語などに翻訳《ほんやく》するときにつかう辞書《じしょ》が出版《しゅっぱん》されています。どの辞書《じしょ》も、見出し語は日本語で、五十音順《じゅん》に配列されています。

田島伸悟・三省堂編修所編
『初級クラウン和英辞典　第10版』
(三省堂)

「英英辞典《えいえいじてん》」とはどういうもの?

「英英辞典《えいえいじてん》」は英語《えいご》の意味を英語《えいご》で説明《せつめい》した辞書《じしょ》です。日本語を日本語で説明《せつめい》した国語辞典《じてん》の英語版《えいごばん》といっていいでしょう。「英英辞典《えいえいじてん》」には、英語《えいご》が自分の言語である人がつかうためのものと、英語《えいご》を学んでいる人のためのものとがあり、説明《せつめい》の仕方に少し違《ちが》いがあります。

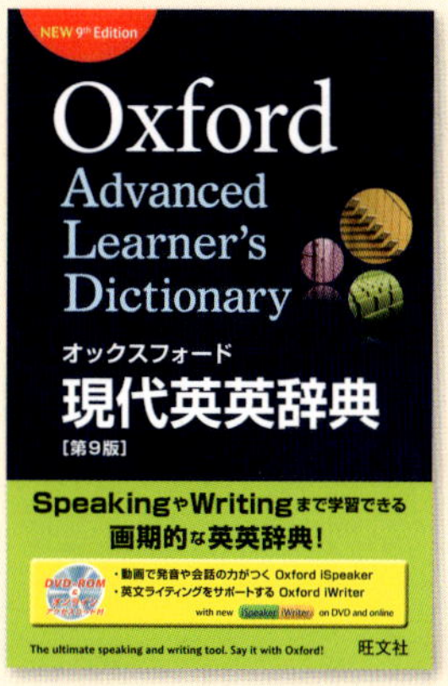

『オックスフォード現代英英辞典第9版』(発行:オックスフォード大学出版局、発売:旺文社)

同じ言葉をいろいろな外国語にする

国語辞典《じてん》は一言語辞書《じしょ》、英和辞典《えいわじてん》は二言語辞《じ》書《しょ》ですが、さらに多くの言語を調べることのできる多言語辞書《じしょ》もあります。『デイリー4か国《こく》語辞典《ごじてん》』は日本語・英語《えいご》・中国語・韓国語《かんこくご》がならんでいて、日本語から対応《たいおう》する3つの言語を探《さが》すことができます。さらに、『デイリー6か国語辞典《こくごじてん》』は日本語・英語《えいご》・ドイツ語・フランス語・イタリア語・スペイン語がならんでいて、日本語から対応《たいおう》する5つの言語を探《さが》すことができます。しかし、対応《たいおう》する単語《たんご》がしめされているだけなので、意味の詳《くわ》しい説明《せつめい》や例文《れいぶん》などはありません。

三省堂編修所編『デイリー4か国語辞典』(三省堂)

三省堂編修所編『デイリー6か国語辞典』(三省堂)

8 電子辞書《じしょ》とは？

「電子辞書《じしょ》」といわれているものは、国語辞典《じてん》や漢和辞典《じてん》あるいは英和辞典《えいわじてん》などの内容《ないよう》を電子的《でんしてき》に記憶《きおく》させ、コンピューターによって検索《けんさく》・表示《ひょうじ》する携帯型《けいたいがた》の専用装置《せんようそうち》を指します。また、CD-ROM《シーディーロム》やインターネットなどで提供《ていきょう》される形式のものをふくめたよび名としても「電子辞書《じしょ》」がつかわれています。

電子辞書《じしょ》のよい点・よくない点

電子辞書《じしょ》の専用装置《せんようそうち》の場合、紙に印刷《いんさつ》された冊子形態《さっしけいたい》の辞書《じしょ》にくらべて、つぎのようなよい点・よくない点があげられます。

▽電子辞書《じしょ》のよい点

①小型《こがた》・軽量《けいりょう》で携帯《けいたい》に便利《べんり》である。
②大量《たいりょう》の情報《じょうほう》を収《おさ》めることができる。
③1台にたくさんの種類《しゅるい》の辞書《じしょ》を収《おさ》めることができ、辞書《じしょ》から辞書《じしょ》へと移《うつ》って検索《けんさく》できる（⇒P27）。
④検索《けんさく》のスピードがはやい。
⑤部分一致検索《いっちけんさく》・条件検索《じょうけんけんさく》など多様な検索《けんさく》ができる。
⑥説明《せつめい》につかわれている言葉から、見出し語を探《さが》すことができる。
⑦音声を聞くことができる。

▽電子辞書《じしょ》のよくない点

①画面に表示《ひょうじ》される文字数が少ないので、説明《せつめい》の全体を一度に見ることができない。
②関連《かんれん》する項目《こうもく》を2か所以上《いじょう》同時に見ることができない。
③電池が切れるとつかうことができない。

日本では、1979年に初歩的《しょほてき》な機種《きしゅ》が発表されました。その後開発が進み、1990年代以降《いこう》にさまざまな種類《しゅるい》の電子辞書《じしょ》が市販《しはん》されるようになりました。また、オンラインで検索《けんさく》できる辞書《じしょ》もあります。

これらは印刷《いんさつ》されて本の形で提供《ていきょう》される辞書《じしょ》の内容《ないよう》を、電子的《でんしてき》に検索《けんさく》できるようにして使用者に提供《ていきょう》したものです。辞書《じしょ》が新たな形態《けいたい》と機能《きのう》をもって登場したのでした。

9 電子辞書のつかい方

電子辞書《じしょ》の最大の特徴《とくちょう》は、1台にたくさんの辞書《じしょ》が入っていることです。なかには10冊以上《さついじょう》の辞書《じしょ》が入っているものもあります。小学生向けの電子辞書《じしょ》*の基本的《きほんてき》なつかい方を見ていきましょう。

電子辞書《じしょ》で調べてみよう

『例解学習国語辞典《れいかいがくしゅうこくごじてん》　第十版《ばん》』（小学館《しょうがくかん》）

▷見出し語検索《けんさく》

例《れい》「さいおうがうま(塞翁《さいおう》が馬《うま》)」を調べるとき。

❶『例解学習国語辞典《れいかいがくしゅうこくごじてん》』の最初《さいしょ》の画面を表示《ひょうじ》させる。「見出し語検索《けんさく》」が選《えら》ばれていること（緑カーソルがついている）を確認《かくにん》する。

❷「さいお」と入力する。入力した文字にあてはまる候補《こうほ》が表示《ひょうじ》される。「さいおうがうま」が選《えら》ばれていること（緑カーソルがついている）を確認《かくにん》する。

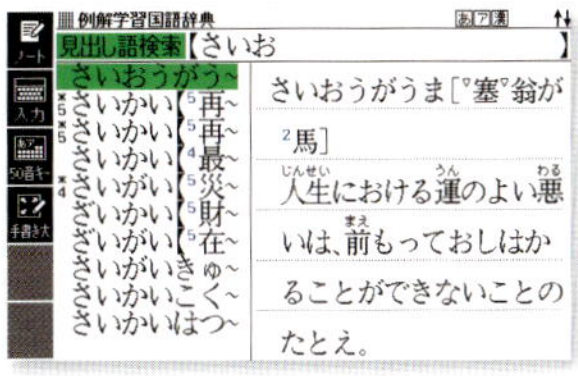

❸訳《やく》/決定をおすと、意味が表示《ひょうじ》される。

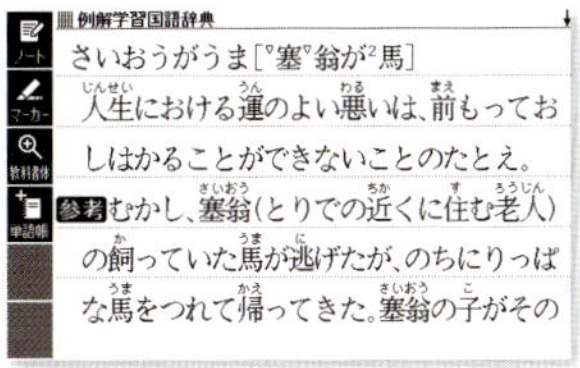

『例解学習漢字辞典《れいかいがくしゅうかんじじてん》　第八版《はん》』（小学館《しょうがくかん》）

▷単漢字《たんかんじ》を部首《ぶしゅ》画数検索《けんさく》

例《れい》「志（シ・こころざし）」を調べるとき。

❶『例解学習漢字辞典《れいかいがくしゅうかんじじてん》』の最《さい》初《しょ》の画面を表示《ひょうじ》させる。

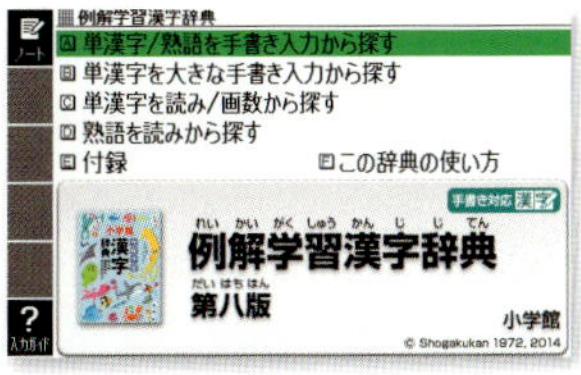

❷▲▼◀▶をおして「単漢《たんかん》字《じ》を読み/画数から探《さが》す」を選《えら》ぶ。

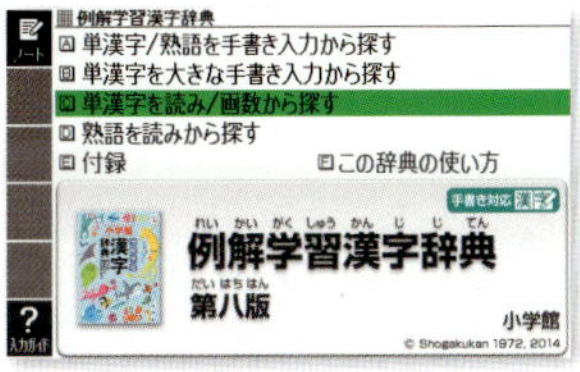

❸訳《やく》/決定をおすと、検索《けんさく》の画面が表示《ひょうじ》される。

❹▲▼◀▶をおして「部首《ぶしゅ》画数」を選《えら》ぶ。

❺「4」と入力する。「志」の部首《ぶしゅ》は「心」なので、部首《ぶしゅ》画数は4画となる。

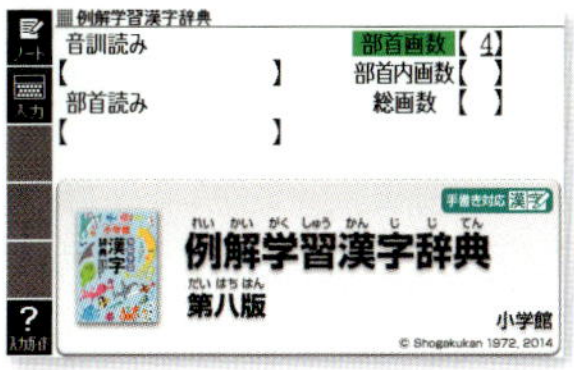

❻訳《やく》/決定をおす。部首《ぶしゅ》画数が4画の部首《ぶしゅ》が表示《ひょうじ》される。「心」が選《えら》ばれていること（緑カーソルがついている）を確認《かくにん》する。

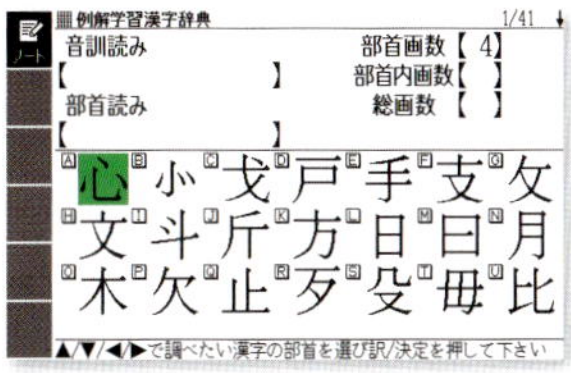

❼訳《やく》/決定をおす。「部首《ぶしゅ》内画数」に緑カーソルが移《い》動《どう》するが、なにも入力しない。

❽訳《やく》/決定をおすと「心」が部首《ぶしゅ》の漢字の候補《こうほ》が表示《ひょうじ》される。

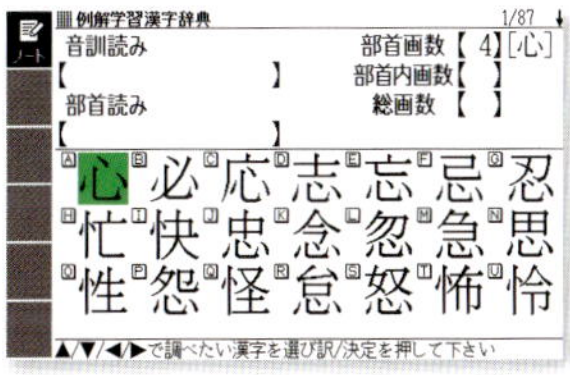

❾▲▼◀▶をおして「志」を選《えら》ぶ。

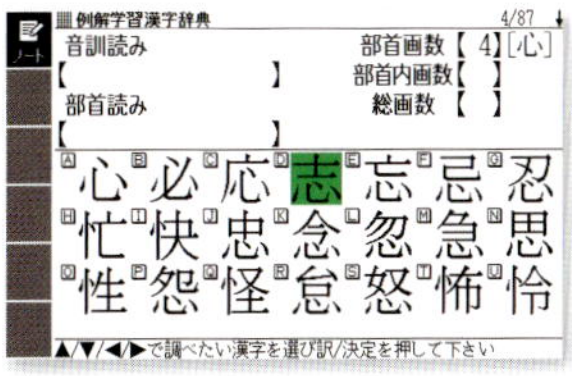

❿訳《やく》/決定をおす。意味が表示《ひょうじ》される。

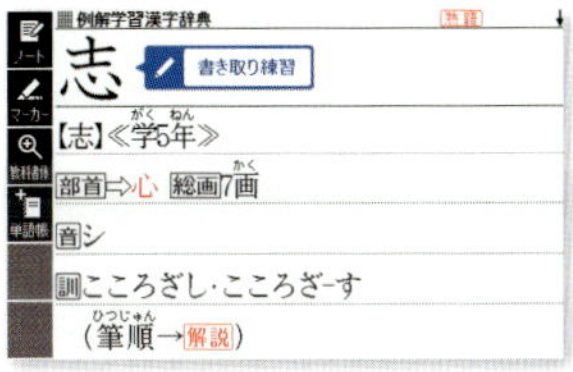

*このページのつかい方は、電子辞書《じしょ》「CASIO《カシオ》 EX-Word《エクスワード》」での例《れい》。

10 「辞書《じしょ》しりとり」で辞書《じしょ》引き名人になる！

ここで紹介《しょうかい》するのは辞書《じしょ》をつかった「しりとりゲーム」です。ひとりでも何人でもでき、何度もやっているあいだに辞書《じしょ》引きになれていき、はやく引けるようになります。

「辞書《じしょ》しりとり」をやってみよう

やり方はかんたんです。しりとりをしながら辞書《じしょ》を引きます。「しりとり」の「り」からはじめる場合、最初《さいしょ》に「り」ではじまる言葉を辞《じ》書《しょ》で探《さが》します。

下のやり方に
したがって、しりとりを
続《つづ》けてみよう。

■やり方

①親を決めて（ひとりでやる場合は自分で）、しりとりの「り」からスタート。「■文字の『り』の★個《こ》目」という。

※■と★に適当《てきとう》な数字を入れる。

②子（ひとりでやる場合は自分で）は、「■文字の『り』」を探《さが》す。

たとえば、「2文字の『り』の1個《こ》目」ならば、2文字でできた「り」からはじまる最初《さいしょ》の言葉を見つけて、手をあげる。親にさされたら、「りか（理科）」と答え、この時点で新しい親になる。

③親になった人は、同じように「■文字の『か』の★個《こ》目」という。たとえば、「4文字の『か』の8個《こ》目」という。

④「4文字の『か』の8個《こ》目」が「かいいん（会員）」だったら、最後《さいご》が「ん」となり、ゲームオーバー。ゲームオーバーには、つぎの場合がある。

・探《さが》しだした言葉が「ん」で終わるものになったとき。

・探《さが》しだした言葉が「ー」で終わるものになったとき。

・指示《しじ》に合う言葉が見つからなかったとき。

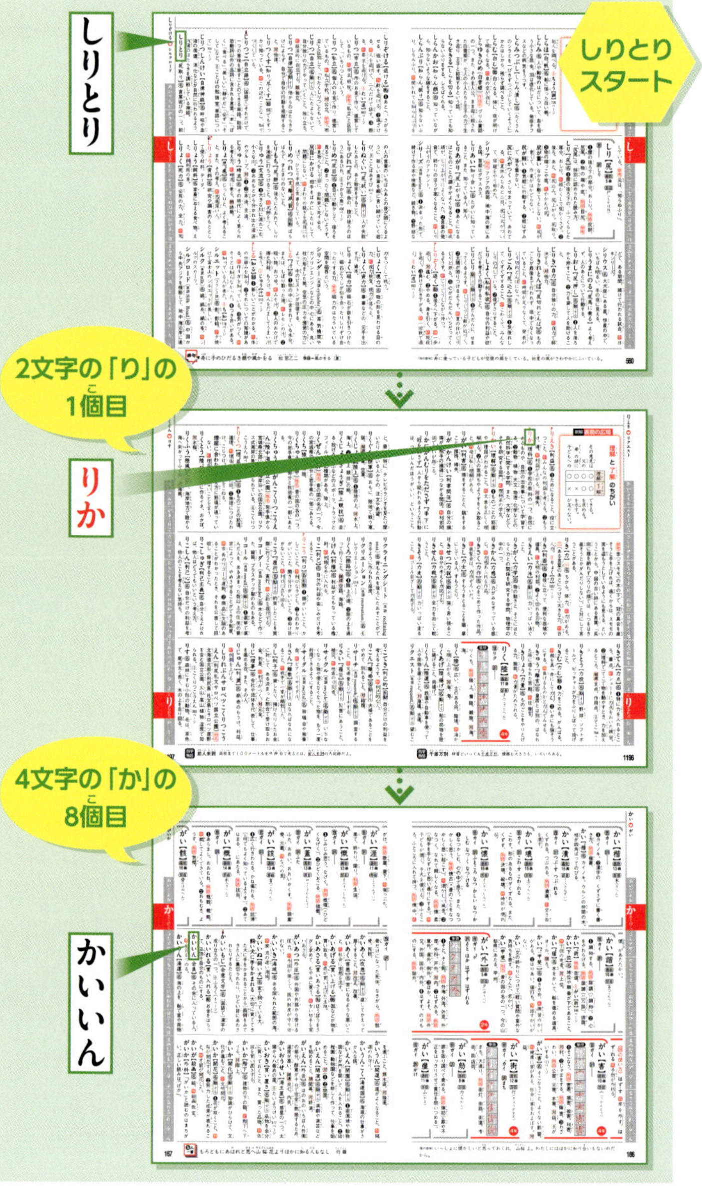
しりとり
しりとりスタート
2文字の「り」の1個《こ》目
りか
4文字の「か」の8個《こ》目
かいいん

『三省堂例解小学国語辞典　第六版』（三省堂）

11 百科事典《じてん》引きビンゴゲーム

百科事典《じてん》をつかった「ビンゴゲーム」を知っていますか。事典《じてん》に親しみながら、調べ方を身につけ、言葉の意味も知ることができます。

最初《さいしょ》に百科事典《じてん》の引き方を学んで、調べるときのコツをつかむ。

百科事典《じてん》を引くはやさで勝負

3×3のマス目に書かれた言葉のなかから、たて・横・ななめにならんだ3つの言葉を選《えら》び、その言葉を百科事典《じてん》をつかって調べて、ビンゴをめざすゲームです。事典《じてん》を引くスピードが勝《しょう》敗《はい》を決めます。

■やり方

①3×3のマス目それぞれに言葉が書かれた問題用紙を人数分用意する。

②問題用紙に書かれた言葉のなかから、たて・横・ななめにならんだ3つの言葉を選《えら》び、その言葉を百科事典《じてん》で調べる。

③調べた言葉と意味を、解答《かいとう》用紙に書きうつす。列がそろったらビンゴ。

【問題2】

Tシャツ	『星の王子さま』作者の名前は？	けんばん ハーモニカ
パプリカ	三毛猫	リサイクル マーク 2つ書いてね
七福神 七福神の名前を書いてね	フライがえし	ゼリー

◆上の３×３のマス目に書かれた言葉の中から、
たて・よこ・ななめに並んだ３つの
その言葉を百科事典を使って調べて
に書いてくださいね。列がそろった
ビンゴです！

小学校3・4年生用の問題用紙の例《れい》。質問《しつもん》は赤字になっている。

【記入用紙】

言葉

意味

＿ビンゴたっせい！

子どもたちが記入する解答《かいとう》用紙の例《れい》。

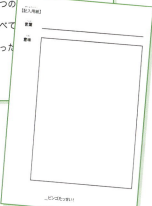

12 辞書《じしょ》ゲーム「Fictionary《フィクショナリー》」をやろう！

「Fictionary《フィクショナリー》」は、「fiction《フィクション》（つくり話）」「dictionary《ディクショナリー》（辞書《じしょ》）」を合成《ごうせい》した英語《えいご》です。辞書《じしょ》のなかから言葉を選《えら》びだして、その言葉の本当の意味と勝手につくった意味をごちゃまぜにして、対戦《たいせん》相手をうまくだませたら勝ちというあそびです。

もとはイギリスの伝統的《でんとうてき》なあそび「Dictionary《ディクショナリー》」

辞書《じしょ》ゲーム「Fictionary《フィクショナリー》」のもとは、イギリスにつたわる家庭ゲーム（Dictionary《ディクショナリー》）で、あるときイギリスのテレビ番組で有名になり「Fictionary《フィクショナリー》」となりました。それが1993年に日本のテレビ番組でも取りあげられ、「たほいや」という名前で評判《ひょうばん》になったものです。このテレビを見た中学校の先生が「これは、辞書《じしょ》のつかい方の授業《じゅぎょう》になる」と考え、学校で実践《じっせん》してみると子どもたちにも人気。辞書《じしょ》をつかったゲームとして、全国的《ぜんこくてき》におこなわれるようになりました。

「たほいや」の本来の意味は、「イノシシを追うための小屋（静岡《しずおか》他の方言）」ですが、テレビで出題された「たほいや」の印象《いんしょう》が強かったため、これがそのまま日本での名称《めいしょう》となったといわれています。

■やり方（4人でやる場合）

①親を決め、親は辞書《じしょ》のなかからだれも知らなそうな言葉を探《さが》し、それをひらがなで紙に書いてほかの人に見せる。

②3人の子は親が提示《ていじ》した単語《たんご》の意味を考えて、紙に書いて親にわたす。このとき、正しい意味を推測《すいそく》して書くのではなく、いかにも辞書《じしょ》にのっていそうな説明《せつめい》を書くことがポイント。

③3人の紙が集まったら、親は辞書《じしょ》にある正しい意味を書いた紙をまぜてから、全員の紙を読む。

④3人の子は、親が読みあげた4つの解答《かいとう》から、正しいと思う意味にチップをかける。

⑤親が、正解《せいかい》を発表する。正解者《せいかいしゃ》はチップを親から受けとる。チップの多い人が勝者となる。

※テレビ番組では、チップを複数《ふくすう》もっていて正しいと思う意味にチップをかけておこなう、かけひきを楽しむものになっていた。

ふせんをはりまくる!?

最近《さいきん》、辞書《じしょ》に親しんでもらえるように、辞書《じしょ》を引いたら、調べた言葉がのっているページにふせんをはる学習がおこなわれています。やり方は学校によっていろいろ工夫《くふう》されているようですが、基本《きほん》はつぎの①②です。

①辞書《じしょ》を引いたとき、その言葉をふせんに書く。調べた言葉の数がわかるように番号も書いておく。

②書きこんだふせんを辞書《じしょ》の調べたページにはる。

ふせんをはることで、調べた言葉の数を自分の目でつねに確認《かくにん》できるため、その数が増《ふ》えていくことで、辞書《じしょ》引きのやる気がますといいます。

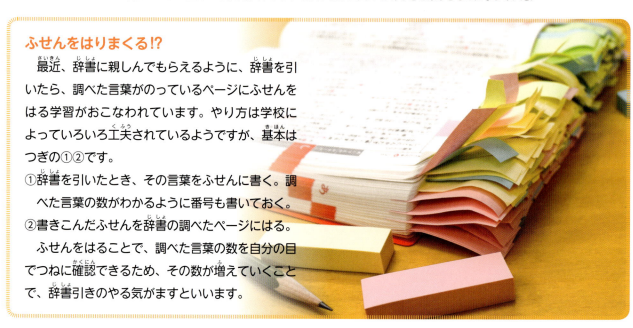

13 国語辞典《じてん》で辞書《じしょ》クイズをやろう！

辞書《じしょ》をつかったゲームはほかにもたくさんありますが、ここではクラスでできる辞《じ》書《しょ》ゲームを紹介《しょうかい》します。ゲームを通して自然《しぜん》とコミュニケーション力が引きだされるといいます。

授業《じゅぎょう》で辞書《じしょ》クイズ

国語の授業《じゅぎょう》で先生がクイズを出す場合は、まず先生が意味のわからない言葉を選《えら》んで黒板に書きます。そして、「その言葉の意味を4つの選択肢《せんたくし》のなかから選《えら》んでください」と問題を出します。

▽先生の出題例《れい》

●「パロチン」の言葉の意味をつぎの4つから選《えら》んでください。

①消毒用《しょうどくよう》の薬《くすり》の名前
②アフリカで発見された微生物《びせいぶつ》の名前
③人の唾《つば》のなかにある物質《ぶっしつ》
④昔流行したテレビキャラクター

正解《せいかい》 ③

■やり方（クラスでやる場合）

①4～5人のグループをつくる。
②ひとりが出題者になり、国語辞典《じてん》からある言葉を選《えら》び、紹介《しょうかい》する。
③ほかの回答者はその言葉の意味を予想し、紙に書いて出題者にわたす。
④出題者は集まった回答者の予想と自分の用意した本当の意味をまぜて発表する。
⑤ほかの回答者は、しめされた意味のなかから、どれが本当の意味なのかを当てる。

つぎに、クラスのそれぞれが問題をつくります。ひとり1冊《さつ》国語辞典《じてん》を用意して、そのなかから、みんなが知らなそうな言葉を探《さが》して、問題づくりをします。

▽子どもたちの出題例《れい》

●「中州《なかす》」の言葉の意味をつぎの4つから選《えら》んでください。

①箱のなかのしきり
②河口《かこう》などにできた島
③ひざまである靴《くつ》
④人との交わり

正解《せいかい》 ②

●「サボタージュ」の言葉の意味をつぎの4つから選《えら》んでください。

①サボテンのスープ
②湯沸《ゆわ》かし器《き》
③ほうたいのこと
④なまけること

正解《せいかい》 ④

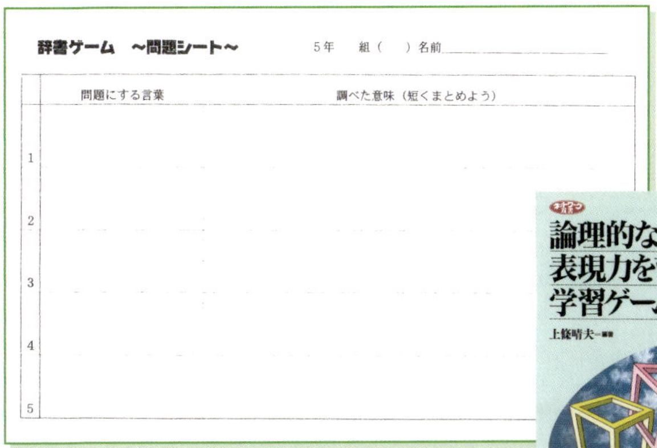

辞書ゲーム　～問題シート～　　5年　組（　）名前

	問題にする言葉	調べた意味（短くまとめよう）
1		
2		
3		
4		
5		

出典：田村一秋「辞書ゲーム」／上條晴夫編著『論理的な表現力を育てる学習ゲーム』（学事出版）より

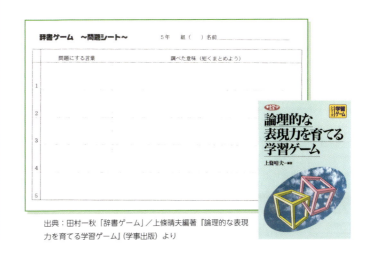

さくいん

あ行

アクセント …… 7, 11, 18, 19
『色葉字類抄《いろはじるいしょう》』 …… 15
英英辞典《えいえいじてん》 …… 25
英和辞典《えいわじてん》 …… 24, 25, 26
『旺文社小学漢字新辞典《おうぶんしゃしょうがくかんじしんじてん》　第四版《はん》』 …… 23
『旺文社小学国語新辞典《おうぶんしゃしょうがくこくごしんじてん》　第四版《はん》』 …… 8, 9
大槻文彦《おおつきふみひこ》 …… 15
『オックスフォード現代英英辞典《げんだいえいえいじてん》　第9版《はん》』 …… 25

か行

外来語辞典《がいらいごじてん》 …… 21
カタカナ語辞典《じてん》 …… 21
漢和辞典《じてん》（漢字辞典《じてん》・漢語辞典《じてん》） …… 17, 23, 24, 26
擬音語《ぎおんご》・擬態語辞典《ぎたいごじてん》 …… 22
逆《ぎゃく》引き辞典《じてん》 …… 22
口絵 …… 8, 10
『言海《げんかい》』 …… 15
『広辞苑《こうじえん》』 …… 19
国語辞典《じてん》 …… 6, 7, 8, 9, 10, 11, 12, 13, 14, 15, 16, 17, 18, 19, 20, 22, 23, 25, 26, 31
語源辞典《ごげんじてん》 …… 22
古語辞典《じてん》 …… 21
ことわざ辞典《じてん》（事典《じてん》） …… 22
『コンサイスカタカナ語辞典《ごじてん》　第4版《はん》』 …… 21

さ行

『三省堂《さんせいどう》こどもこくごじてん』 …… 12
『三省堂例解小学国語辞典《さんせいどうれいかいしょうがくこくごじてん》　第五版《はん》』 …… 7, 11, 18
『三省堂例解小学国語辞典《さんせいどうれいかいしょうがくこくごじてん》　第六版《はん》』 …… 6, 7, 9, 12, 13, 14, 15, 16, 17, 18, 19, 28
死語辞典《じてん》 …… 21
『初級《しょきゅう》クラウン和英辞典《わえいじてん》　第10版《ぱん》』 …… 25
新語辞典《じてん》 …… 21
『新《しん》レインボー小学国語辞典《しょうがくこくごじてん》　改定《かいてい》第5版《はん》』 …… 8
『全訳基本古語辞典《ぜんやくきほんこごじてん》　第三版《はん》』 …… 21

た行

『大辞林《だいじりん》　第三版《はん》』 …… 11, 19
中日辞典《じてん》 …… 24
『デイリー4か国語辞典《こくごじてん》』 …… 25
『デイリー6か国語辞典《こくごじてん》』 …… 25
電子辞書《じしょ》 …… 26, 27
独和辞典《どくわじてん》 …… 24

な行

『ニュースクール英和辞典《えいわじてん》　第2版《はん》』 …… 24

は行

反対語対照語辞典《たいしょうごじてん》 …… 22
百科事典《じてん》 …… 19, 20, 29
表記辞典《じてん》 …… 22
部首《ぶしゅ》 …… 23, 27
仏和辞典《ふつわじてん》 …… 24
ふろく …… 9, 10
方言 …… 19, 20

や行

四字熟語辞典《よじじゅくごじてん》 …… 22

ら行

類義語《るいぎご》使い分け辞典《じてん》 …… 22
『例解学習漢字辞典《れいかいがくしゅうかんじじてん》　第八版《はん》』 …… 27
『例解学習国語辞典《れいかいがくしゅうこくごじてん》　第十版《ぱん》』 …… 8, 9, 27

わ行

和英辞典《わえいじてん》 …… 24, 25
和独辞典《わどくじてん》 …… 25
和仏辞典《わふつじてん》 …… 25

■ **監修・文／倉島　節尚**（くらしま　ときひさ）

1935年、長野県生まれ。1959年東京大学文学部国語国文学科を卒業、三省堂に入社。以後30年間国語辞典の編集に携わる。『大辞林』（初版）の編集長。三省堂で常務取締役・出版局長を務め、1990年から大正大学文学部教授、2008年名誉教授。辞書に関する著書に『辞林探求』（おうふう）、『辞書は生きている』（ほるぷ出版）、『辞書と日本語』（光文社）、『日本語辞書学への序章』『宝菩提院本 類聚名義抄』『宝菩提院本 類聚名義抄和訓索引』（大正大学出版会）、共編に『日本辞書辞典』『日本語辞書学の構築』（おうふう）などがある。

■ **文／稲葉　茂勝**（いなば　しげかつ）

1953年、東京都生まれ。大阪外国語大学及び東京外国語大学卒業。長年にわたり編集者として書籍・雑誌の編集に携わり、まもなく1000冊になる。この間、自ら執筆・翻訳も多く手がけてきた。著書に『大人のための世界の「なぞなぞ」』『世界史を変えた「暗号」の謎』（共に青春出版社）、『子どもの写真で見る世界のあいさつことば』（今人舎）、「世界のなかの日本語」シリーズ1、2、3、6巻（小峰書店）などがある。

■ **編／こどもくらぶ**

あそび・教育・福祉分野で、毎年100タイトルほどの児童書を企画・編集している。

この本の情報は、2015年11月現在のものです。

■**編集・デザイン**
こどもくらぶ（長野絵莉、信太知美）

■**制作**
（株）エヌ・アンド・エス企画

■**写真協力（敬称略）**
〈P26〉©kazoka303030
〈P27〉カシオ計算機株式会社
〈P29〉長岡市立互尊文庫

■**アンケート協力（敬称略）**
国立学園小学校
桐朋学園小学校
北杜市図書館

辞書・事典のすべてがわかる本 4 **辞書・事典の活用術**　　**NDC813**

2016年1月30日　初版発行

監修・文　倉島節尚
文　稲葉茂勝
発行者　山浦真一
発行所　株式会社あすなろ書房　〒162-0041　東京都新宿区早稲田鶴巻町551-4
電話　03-3203-3350（代表）
印刷所　凸版印刷株式会社
製本所　凸版印刷株式会社

©2016　INABA Shigekatsu
Printed in Japan

32p／31cm
ISBN978-4-7515-2854-9